새 교육과정 5~6학년 STEAM 과학

안쌤의

최상위 줄기과학

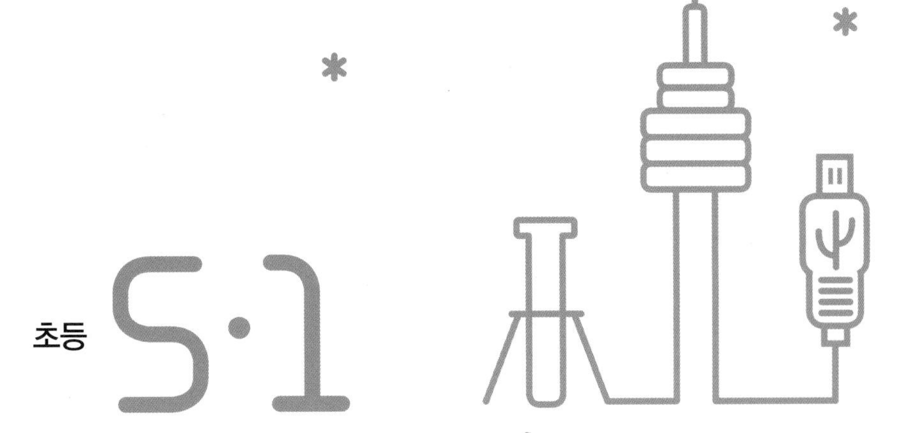

초등 5·1

개념

교과서 핵심 내용을 간결하면서도 이해하기 쉽게 설명해 놓았습니다. 또한, 풍부한 시각 자료가 있어 개념이 확실히 잡히도록 구성하였습니다.

개념 더하기

교과서 개념을 이해하는 데 도움이 되는 설명들로 구성하였습니다.

탐구

단원의 중요 탐구를 제시하여 중요 내신형 탐구 문제를 쉽게 해결할 수 있도록 구성하였습니다.

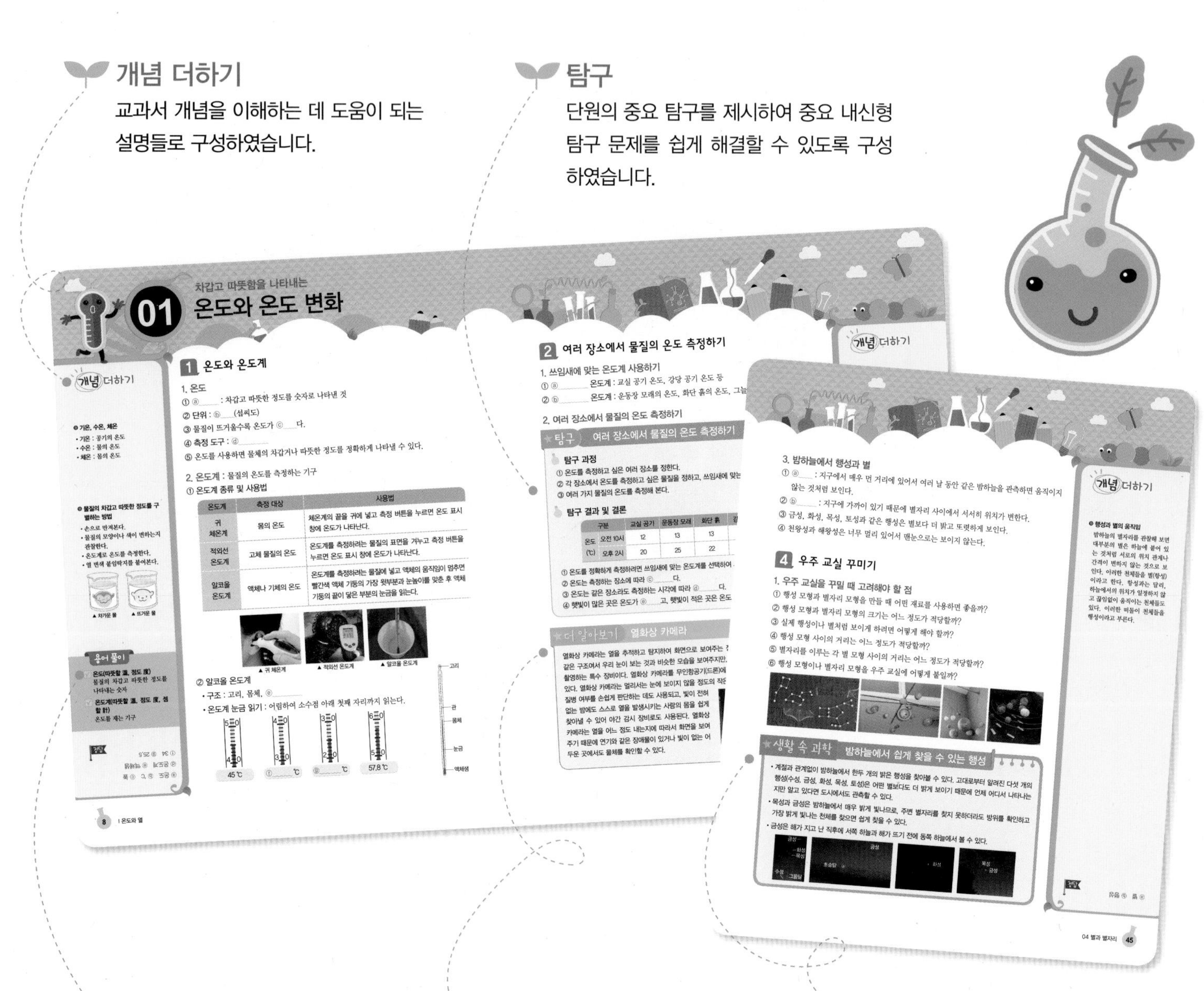
차갑고 따뜻함을 나타내는

01 온도와 온도 변화

개념 더하기

1 온도와 온도계

1. 온도

① ⓐ____ : 차갑고 따뜻한 정도를 숫자로 나타낸 것

② 단위 : ⓑ____(섭씨도)

③ 물질이 뜨거울수록 온도가 ⓒ____ 다.

④ 측정 도구 : ⓓ____

⑤ 온도를 사용하면 물체의 차갑거나 따뜻한 정도를 정확하게 나타낼 수 있다.

2. 온도계 : 물질의 온도를 측정하는 기구

① 온도계 종류 및 사용법

온도계	측정 대상	사용법
귀 체온계	몸의 온도	체온계의 끝을 귀에 넣고 측정 버튼을 누르면 온도 표시 창에 온도가 나타난다.
적외선 온도계	고체 물질의 온도	온도계를 측정하려는 물질의 표면을 겨누고 측정 버튼을 누르면 온도 표시 창에 온도가 나타난다.
알코올 온도계	액체나 기체의 온도	온도계를 측정하려는 물질에 넣고 액체의 움직임이 멈추면 빨간색 액체 기둥의 가장 윗부분과 눈높이를 맞춘 후 액체 기둥의 끝이 닿은 부분의 눈금을 읽는다.

② 알코올 온도계

- 구조 : 고리, 몸체, ⓔ____
- 온도계 눈금 읽기 : 어림하여 소수점 아래 첫째 자리까지 읽는다.

용어 풀이

2 여러 장소에서 물질의 온도 측정하기

1. 쓰임새에 맞는 온도계 사용하기

2. 여러 장소에서 물질의 온도 측정하기

탐구 여러 장소에서 물질의 온도 측정하기

탐구 과정

탐구 결과 및 결론

더 알아보기 열화상 카메라

3. 밤하늘에서 행성과 별

4 우주 교실 꾸미기

1. 우주 교실을 꾸밀 때 고려해야 할 점

생활 속 과학 밤하늘에서 쉽게 찾을 수 있는 행성

용어 풀이

한자의 뜻을 알면 용어의 뜻을 잘 이해할 수 있어 과학 용어를 잘 기억할 수 있습니다.

더 알아보기

학교 시험에 나올 수 있는 문제를 대비하여 교과서 개념을 응용하거나 적용된 실생활 내용으로 구성하였습니다.

생활 속 과학

새 교육과정의 융합인재교육(STEAM)에서 강조하고 있는 생활 속 과학을 교과서 개념이 적용된 내용으로 구성하였습니다.

문제 구성

교과서 핵심 내용 파악을 확실히 했는지 확인하기 위한 객관식 문제 유형과 서술형 문제 유형으로 구성하였습니다. 또한 새 교육과정에서 강조하는 융합인재교육(STEAM)을 위한 융합사고력 문제 유형과 STEAM 실험실로 탐구력 향상 문제 유형을 구성하였습니다.

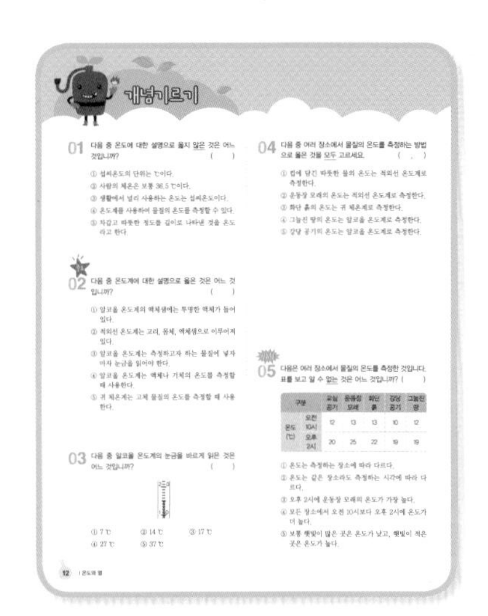

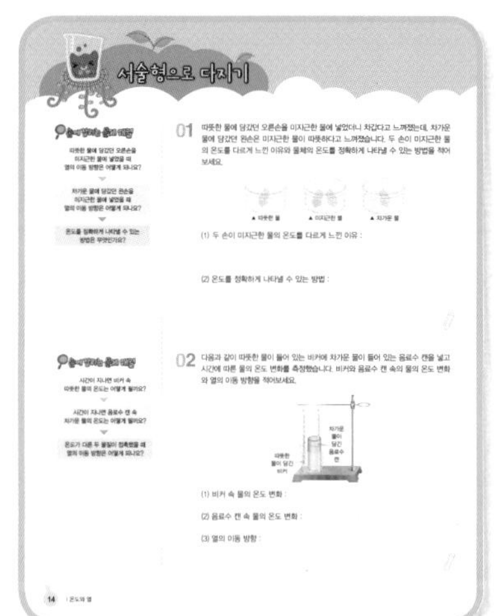

개념 기르기

개념을 확실히 파악했는지 확인하고 학교 시험에 자주 출제되는 문제를 통해 기초를 튼튼히 기를 수 있도록 구성하였습니다.

서술형으로 다지기

학교 시험에서 출제되는 서술형 문제를 집중적으로 연습할 수 있고, 문제를 해결하기 위한 사고의 흐름을 손에 잡히는 문제 해결로 제시하여 문제해결력을 다질 수 있도록 구성하였습니다.

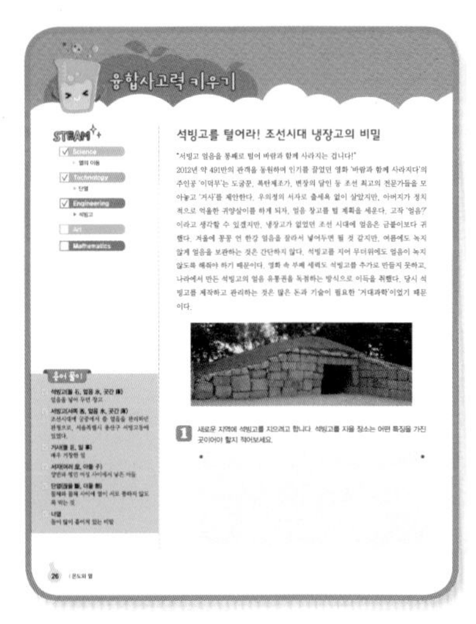

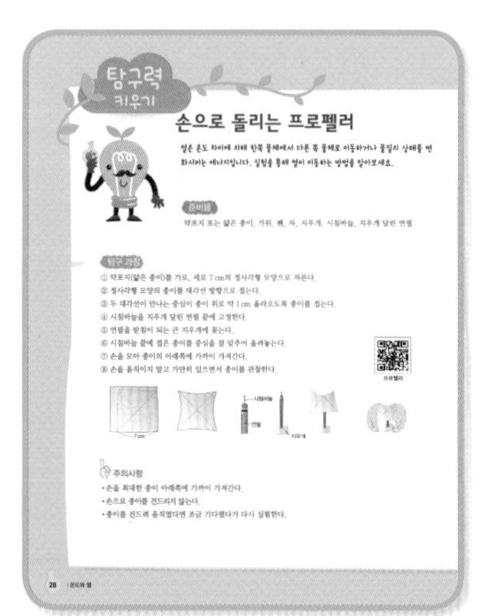

융합사고력 키우기

창의 서술형 평가로 새롭게 등장한 융합형(STEAM) 문제를 대비할 수 있도록, 신문기사(NIE), 실생활 속 제품, 과학사 등의 지문을 이용하여 서술형 문제와 논술형 문제를 넣고, 손에 잡히는 문제 해결로 융합적 사고의 흐름을 제시하여 융합사고력을 키울 수 있도록 구성하였습니다.

탐구력 키우기

새 교육과정에서 등장한 단원별 마무리 STEAM 활동처럼 단원을 STEAM 탐구로 마무리할 수 있도록 구성하였습니다.

문제 구성 속 아이콘

ⓐ 개념 속 빈칸

눈으로만 보는 개념보다 빈칸을 채워가며 완성하는 개념이 학습에 도움이 됩니다. 이를 위해 핵심 개념에 빈칸을 넣어 구성하였습니다.

정답 개념 속 빈칸 정답

빈칸을 채워가며 개념을 완성하는 데 정답 확인이 번거롭지 않도록 개념 페이지 하단에 정답을 넣었습니다. 답을 바로바로 확인하면서 개념 페이지를 완성할 수 있습니다.

중요 중요

출제 빈도가 높은 문제에는 중요 아이콘을 표시했습니다. 이 문제는 확실히 이해하고 넘어가도록 합니다.

신유형 신유형

새 교육과정에 맞춰 새롭게 등장한 유형으로 학교 시험 예상 문제입니다.

논술형 논술형

최근 창의 서술형 평가로 새롭게 등장한 논술형 문제를 대비할 수 있도록 구성하였습니다.

차례

용해와 용액

다양한 생물과 우리 생활

I 온도와 열

01 온도와 온도 변화

02 열의 이동

이 단원의 주요 내용

온도와 열에 대해 이해하고, 온도계를 사용하는 방법을 알고 온도 측정이 중요한 이유를 알아본다. 물체를 가열하거나 냉각시킬 때 온도 변화와 열평형 상태를 관찰하고, 이를 통해 열의 이동을 추리한다.

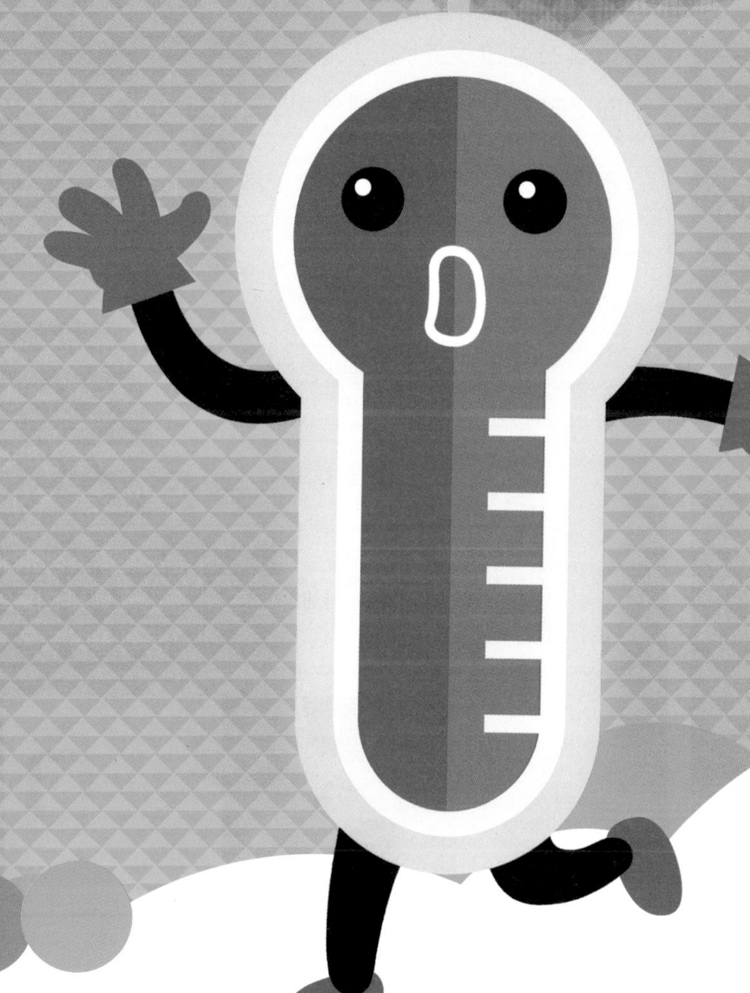

★ 2015 개정 교육과정 교과서

초등 5~6학년 군 :
5학년 1학기 2단원 온도와 열

★ 다른 학년과의 연계

초등 3~4학년 군 : 물의 상태 변화
초등 5~6학년 군 : 날씨와 우리 생활
중학교 1~3학년 군 : 열과 우리 생활

01 차갑고 따뜻함을 나타내는 온도와 온도 변화

1 온도와 온도계

1. 온도

① ⓐ______ : 차갑고 따뜻한 정도를 숫자로 나타낸 것

② 단위 : ⓑ____(섭씨도)

③ 물질이 뜨거울수록 온도가 ⓒ____다.

④ 측정 도구 : ⓓ______

⑤ 온도를 사용하면 물체의 차갑거나 따뜻한 정도를 정확하게 나타낼 수 있다.

2. 온도계 : 물질의 온도를 측정하는 기구

① 온도계 종류 및 사용법

온도계	측정 대상	사용법
귀 체온계	몸의 온도	체온계의 끝을 귀에 넣고 측정 버튼을 누르면 온도 표시 창에 온도가 나타난다.
적외선 온도계	고체 물질의 온도	온도계를 측정하려는 물질의 표면을 겨누고 측정 버튼을 누르면 온도 표시 창에 온도가 나타난다.
알코올 온도계	액체나 기체의 온도	온도계를 측정하려는 물질에 넣고 액체의 움직임이 멈추면 빨간색 액체 기둥의 가장 윗부분과 눈높이를 맞춘 후 액체 기둥의 끝이 닿은 부분의 눈금을 읽는다.

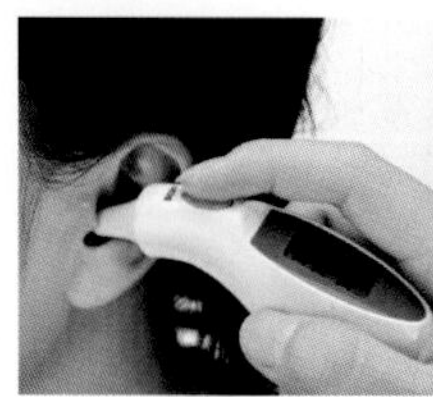
▲ 귀 체온계

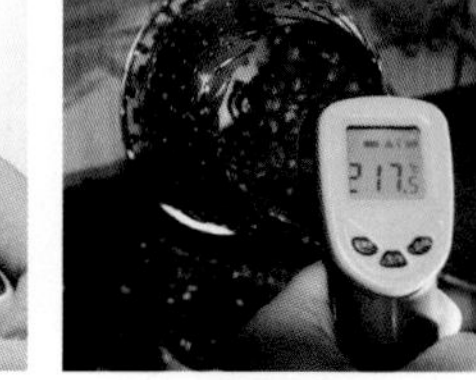
▲ 적외선 온도계

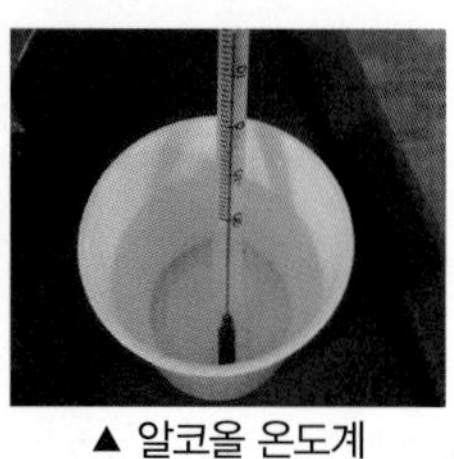
▲ 알코올 온도계

② 알코올 온도계

• 구조 : 고리, 몸체, ⓔ______

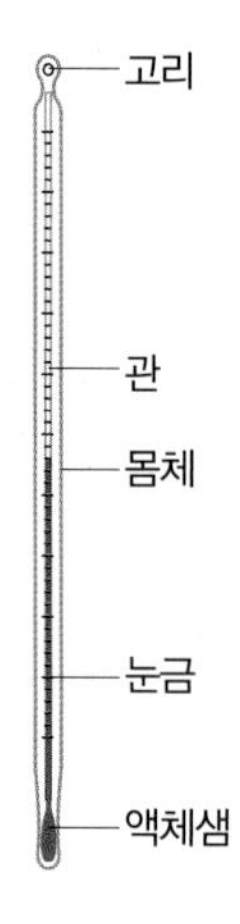

• 온도계 눈금 읽기 : 어림하여 소수점 아래 첫째 자리까지 읽는다.

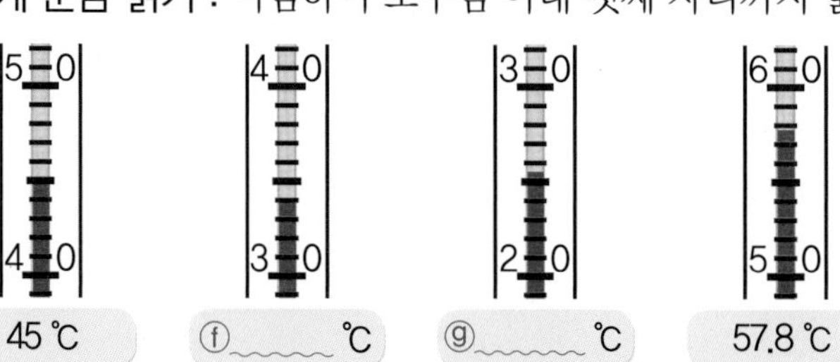

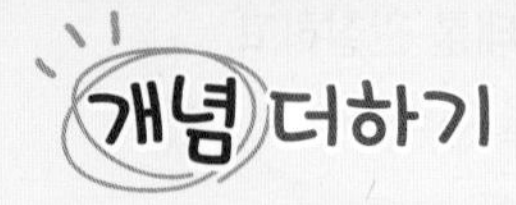

개념 더하기

● 기온, 수온, 체온
• 기온 : 공기의 온도
• 수온 : 물의 온도
• 체온 : 몸의 온도

● 물질의 차갑고 따뜻한 정도를 구별하는 방법
• 손으로 만져본다.
• 물질의 모양이나 색이 변하는지 관찰한다.
• 온도계로 온도를 측정한다.
• 열 변색 붙임딱지를 붙여본다.

▲ 차가운 물

▲ 뜨거운 물

용어 풀이

온도(따뜻할 溫, 정도 度)
물질의 차갑고 따뜻한 정도를 나타내는 숫자

온도계(따뜻할 溫, 정도 度, 셈할 計)
온도를 재는 기구

정답
ⓐ 온도 ⓑ ℃ ⓒ 높
ⓓ 온도계 ⓔ 액체샘
ⓕ 34 ⓖ 25.5

2 여러 장소에서 물질의 온도 측정하기

1. 쓰임새에 맞는 온도계 사용하기

① ⓐ________ 온도계 : 교실 공기 온도, 강당 공기 온도 등

② ⓑ________ 온도계 : 운동장 모래의 온도, 화단 흙의 온도, 그늘진 땅의 온도 등

2. 여러 장소에서 물질의 온도 측정하기

탐구 여러 장소에서 물질의 온도 측정하기

탐구 과정

① 온도를 측정하고 싶은 여러 장소를 정한다.

② 각 장소에서 온도를 측정하고 싶은 물질을 정하고, 쓰임새에 맞는 온도계를 선택한다.

③ 여러 가지 물질의 온도를 측정해 본다.

탐구 결과 및 결론

구분		교실 공기	운동장 모래	화단 흙	강당 공기	그늘진
온도 (℃)	오전 10시	12	13	13	10	12
	오후 2시	20	25	22	19	19

① 온도를 정확하게 측정하려면 쓰임새에 맞는 온도계를 선택하여 사용해야 한다.

② 온도는 측정하는 장소에 따라 ⓒ______다.

③ 온도는 같은 장소라도 측정하는 시각에 따라 ⓓ______다.

④ 햇빛이 많은 곳은 온도가 ⓔ____고, 햇빛이 적은 곳은 온도가 ⓕ____다.

더 알아보기 열화상 카메라

열화상 카메라는 열을 추적하고 탐지하여 화면으로 보여주는 장치이다. 일반 카메라는 사람의 눈과 같은 구조여서 우리 눈이 보는 것과 비슷한 모습을 보여주지만, 열화상 카메라는 오직 열을 이용해서 촬영하는 특수 장비이다. 열화상 카메라를 무인항공기(드론)에 장착하면 산불 감시활동에 사용할 수 있다. 열화상 카메라는 멀리서는 눈에 보이지 않을 정도의 작은 화재도 포착할 수 있다. 또한, 가축의 질병 여부를 손쉽게 판단하는 데도 사용되고, 빛이 전혀 없는 밤에도 스스로 열을 발생시키는 사람의 몸을 쉽게 찾아낼 수 있어 야간 감시 장비로도 사용된다. 열화상 카메라는 열을 어느 정도 내는지에 따라서 화면을 보여 주기 때문에 연기와 같은 장애물이 있거나 빛이 없는 어두운 곳에서도 물체를 확인할 수 있다.

개념 더하기

● 다양한 온도계

- 수은 체온계 : 액체샘에 수은이 들어 있다. 수은은 온도에 따라 부피가 매우 일정하게 변하므로 정확한 온도를 측정할 때 사용한다.
- 귀 체온계 : 몸속의 적외선을 반도체 센서로 측정한다. 짧은 시간에 체온을 측정할 수 있다.
- 적외선 온도계 : 물질에서 방출되는 적외선을 이용한다. 직접 닿지 않고도 물질의 표면 온도를 측정할 수 있다.
- 다이얼 온도계 : 바이메탈을 이용한 것으로 온도에 따라 바이메탈이 휘어지는 정도를 눈금으로 표시한다.
- 액정 온도계 : 외부 온도에 따라 액정 내의 알갱이 거리가 달라지면서 반사되는 빛의 색이 달라진다.

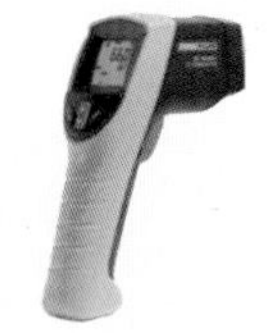

▲ 수은 체온계 ▲ 귀 체온계 ▲ 적외선 온도계

▲ 다이얼 온도계 ▲ 액정 온도계

정답

ⓐ 실내용 ⓑ 실외용

ⓒ 다르 ⓓ 다르 ⓔ 높

ⓕ 낮

01 온도와 온도 변화

3 온도가 다른 두 물질이 접촉할 때 온도 변화

1. 온도가 다른 두 물질이 접촉할 때 온도 변화

탐구 온도가 다른 두 물질이 접촉할 때 온도 변화 알아보기

탐구 과정

① 차가운 물이 담긴 음료수 캔을 따뜻한 물이 담긴 비커에 넣는다.
② 온도계 두 개를 스탠드에 매달아 각각 음료수 캔과 비커 속에 넣는다.
③ 음료수 캔과 비커 속 물의 온도를 10분 동안 1분 간격으로 측정한다.

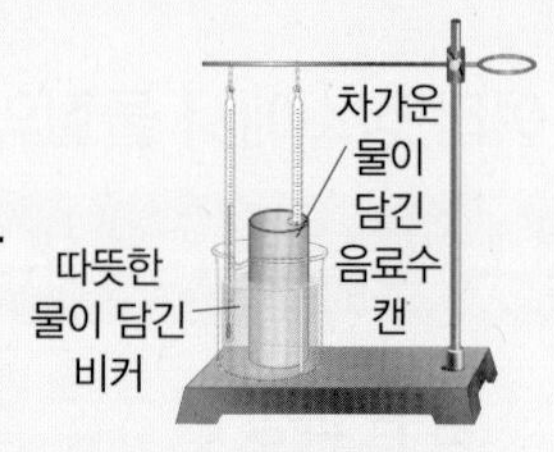

탐구 결과 및 결론

시간(분)	처음	1	2	3	4	5	6	7	8	9	10
음료수 캔 속 물의 온도(℃)	14	16	17	18	19	20	21	22	21	21	21
비커 속 물의 온도(℃)	67	55	48	42	38	21	24	23	21	21	21

① 시간이 지나면 음료수 캔 속의 차가운 물의 온도는 ⓐ______진다.
② 시간이 지나면 비커 속 따뜻한 물의 온도는 ⓑ______진다.
③ 처음에 온도가 달랐던 차가운 물과 따뜻한 물의 온도가 나중에는 ⓒ______진다.
④ 접촉한 두 물질의 온도가 변하는 이유는 ⓓ____이 이동하기 때문이다.
⑤ 열은 ⓔ______ 물에서 ⓕ______ 물로 이동한다.
⑥ 두 물질이 접촉한 채로 시간이 충분히 지나면 두 물질의 온도는 같아진다.

2. 우리 주위에서 온도가 다른 두 물질이 접촉할 때 온도가 변하는 경우

온도가 다른 두 물질이 접촉한 경우		열의 이동 방향
차가운 물이 든 컵을 손으로 들었을 때	• 차가운 물 : 따뜻해진다. • 손 : 차가워진다.	손 → 차가운 물
삶은 면을 차가운 물에 넣어 헹굴 때	• 삶은 면 : 차가워진다. • 차가운 물 : 따뜻해진다.	삶은 면 → 차가운 물
얼음 위에 생선을 놓을 때	• 얼음 : 녹는다. • 생선 : 차가워진다.	생선 → 얼음

3. 열의 이동

① 열은 온도가 ⓖ___은 물질에서 ⓗ___은 물질로 이동한다.
② 열을 잃은 물질은 온도가 낮아지고, 열을 얻은 물질은 온도가 높아진다.

개념 더하기

● 열기와 냉기
• 차가운 물질을 손으로 잡고 있을 때 차갑게 느껴지는 것은 차가운 냉기가 손으로 전해지는 것이 아니라 손의 열이 차가운 물질로 이동하기 때문이다.
• 일상생활에서 온도가 높은 곳에서 온도가 낮은 곳으로 이동하는 에너지를 열기라고 한다.
• 차가운 곳에서 따뜻한 곳으로 이동하는 냉기는 존재하지 않는다.

용어 풀이

열(더울 熱)
온도가 높은 곳에서 낮은 곳으로 전해지는 에너지

정답

ⓐ 높아 ⓑ 낮아 ⓒ 같아
ⓓ 열 ⓔ 따뜻한 ⓕ 차가운
ⓖ 높 ⓗ 낮

4 시간에 따른 물질의 온도 변화

1. 시간에 따른 물질의 온도 변화

탐구 시간에 따른 물질의 온도 변화 알아보기

탐구 과정

① 교실의 온도를 측정하여 공기의 온도를 확인한다.
② 비커 두 개에 각각 같은 양의 차가운 물과 따뜻한 물을 담고 2분마다 온도를 측정한다.
③ 비커 두 개에 따뜻한 물 200 mL와 400 mL를 각각 담고 1분마다 온도를 측정한다.

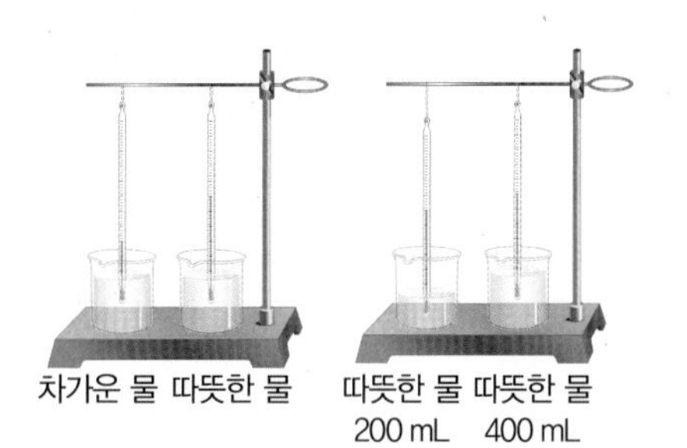

탐구 결과 및 결론

시간(분)	처음	2	4	6	8	10
차가운 물의 온도(℃)	4	5	6	7	7	8
따뜻한 물의 온도(℃)	40	38	36	34	34	33

시간(분)	처음	1	2	3	4	5
물 200 mL의 온도(℃)	45	43	41	38	35	32
물 400 mL의 온도(℃)	45	44	43	40	37	36

① 공기의 온도는 18 ℃이다.
② 시간이 지나면 공기보다 차가운 물은 온도가 ⓐ_____지고, 공기보다 따뜻한 물은 온도가 ⓑ_____진다.
③ 따뜻한 물은 물의 양이 많을수록 더 ⓒ_____ 식는다.
④ 시간이 지남에 따라 물질의 온도는 변하고, 물질의 양이 많으면 물질의 온도가 천천히 변한다.

2. 물질의 온도가 변하는 데에 영향을 주는 것

① **시간** : 시간이 지나면 물질의 온도가 변한다.
② **주위의 온도** : 주위의 온도보다 물질의 온도가 높거나 낮으면 물질의 온도가 변한다.
③ **물질의 양** : 물질의 양이 많으면 온도가 천천히 변한다.

더 알아보기 열평형 상태

온도가 높은 물체와 온도가 낮은 물체를 접촉시키면, 온도가 높은 물체에서 온도가 낮은 물체로 열이 이동하여 온도가 높은 물체는 온도가 낮아지고 온도가 낮은 물체는 온도가 높아져, 두 물체의 온도가 같아지는 열평형 상태가 된다. 열평형 상태에서는 두 물체의 온도가 같아져, 더 이상 뜨거워지지도 차가워지지도 않는다.

개념 더하기

● **일상생활에서 물질의 온도를 변하지 않게 하는 도구**
- 보온병, 아이스박스 : 따뜻한 물질은 따뜻하게 유지하여 주고, 차가운 물질은 차갑게 유지하여 준다.
- 냉장고 : 반찬의 온도를 차갑게 유지하여 준다.
- 에어컨 : 방 안 공기의 온도를 낮게 유지하여 준다.
- 보일러, 석유난로 : 방 안의 온도를 높게 유지하여 준다.
- 사람들은 체온 유지를 위하여 음식을 먹거나 옷을 입는다.

용어 풀이

평형(평평할 平, 저울대 衡)
사물이 한쪽으로 기울지 않고 안정해 있음

정답

ⓐ 높아 ⓑ 낮아 ⓒ 천천히

개념기르기

01 다음 중 온도에 대한 설명으로 옳지 않은 것은 어느 것입니까? ( )

① 섭씨온도의 단위는 ℃이다.
② 사람의 체온은 보통 36.5 ℃이다.
③ 생활에서 널리 사용하는 온도는 섭씨온도이다.
④ 온도계를 사용하여 물질의 온도를 측정할 수 있다.
⑤ 차갑고 따뜻한 정도를 길이로 나타낸 것을 온도라고 한다.

02 다음 중 온도계에 대한 설명으로 옳은 것은 어느 것입니까? ( )

① 알코올 온도계의 액체샘에는 투명한 액체가 들어 있다.
② 적외선 온도계는 고리, 몸체, 액체샘으로 이루어져 있다.
③ 알코올 온도계는 측정하고자 하는 물질에 넣자마자 눈금을 읽어야 한다.
④ 알코올 온도계는 액체나 기체의 온도를 측정할 때 사용한다.
⑤ 귀 체온계는 고체 물질의 온도를 측정할 때 사용한다.

03 다음 중 알코올 온도계의 눈금을 바르게 읽은 것은 어느 것입니까? ( )

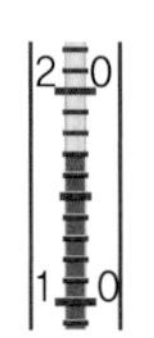

① 7 ℃ ② 14 ℃ ③ 17 ℃
④ 27 ℃ ⑤ 37 ℃

04 다음 중 여러 장소에서 물질의 온도를 측정하는 방법으로 옳은 것을 모두 고르세요. (,)

① 컵에 담긴 따뜻한 물의 온도는 적외선 온도계로 측정한다.
② 운동장 모래의 온도는 적외선 온도계로 측정한다.
③ 화단 흙의 온도는 귀 체온계로 측정한다.
④ 그늘진 땅의 온도는 알코올 온도계로 측정한다.
⑤ 강당 공기의 온도는 알코올 온도계로 측정한다.

신유형

05 다음은 여러 장소에서 물질의 온도를 측정한 것입니다. 표를 보고 알 수 없는 것은 어느 것입니까? ( )

구분		교실 공기	운동장 모래	화단 흙	강당 공기	그늘진 땅
온도 (℃)	오전 10시	12	13	13	10	12
	오후 2시	20	25	22	19	19

① 온도는 측정하는 장소에 따라 다르다.
② 온도는 같은 장소라도 측정하는 시각에 따라 다르다.
③ 오후 2시에 운동장 모래의 온도가 가장 높다.
④ 모든 장소에서 오전 10시보다 오후 2시에 온도가 더 높다.
⑤ 보통 햇빛이 많은 곳은 온도가 낮고, 햇빛이 적은 곳은 온도가 높다.

중요

06 다음 중 시간이 지남에 따라 그림과 같이 온도가 변하는 상황은 어느 것입니까? ( )

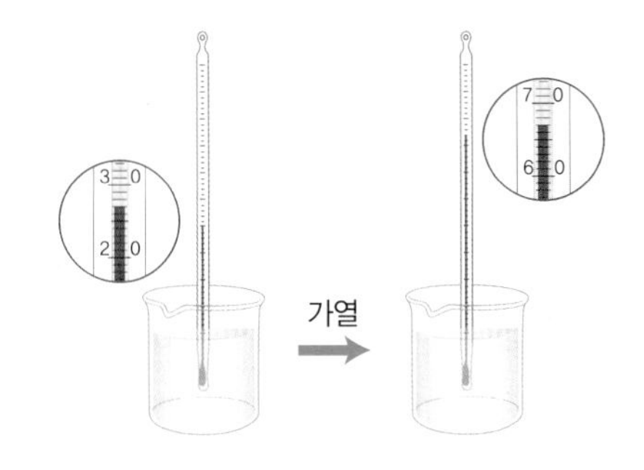

① 따뜻한 국을 식탁 위에 놓는다.
② 삶은 감자를 쟁반에 담아 둔다.
③ 미지근한 물을 냉장고에 넣는다.
④ 따뜻한 코코아차를 종이컵에 옮겨 둔다.
⑤ 냉동실에서 꺼낸 아이스크림을 탁자 위에 둔다.

07 뜨거운 물에 넣었던 컵과 냉장고 안에 넣었던 컵에 같은 양의 미지근한 물을 붓고 온도 변화를 관찰하였습니다. 이 실험에 대한 설명으로 옳은 것은 어느 것입니까? ( )

① 컵 속의 물의 온도는 모두 높아진다.
② 컵 속의 물의 온도는 모두 낮아진다.
③ 미지근한 물의 온도 변화는 컵의 온도와 상관없다.
④ 뜨거운 물에 넣었던 컵 속의 물은 온도가 높아진다.
⑤ 냉장고 안에 넣었던 컵 속의 물은 온도가 높아진다.

08 다음 중 냉장고에 넣었을 때 온도가 가장 천천히 낮아지는 것은 어느 것입니까? ( )

① 50 ℃, 물 50 mL ② 50 ℃, 물 100 mL
③ 50 ℃, 물 150 mL ④ 50 ℃, 물 200 mL
⑤ 50 ℃, 물 250 mL

신유형

09 다음과 같이 차가운 물이 담긴 음료수 캔을 따뜻한 물이 담긴 비커에 넣고 1분 간격으로 온도 변화를 측정하는 실험을 하였습니다. 이 실험에 대한 설명으로 옳은 것은 어느 것입니까? ( )

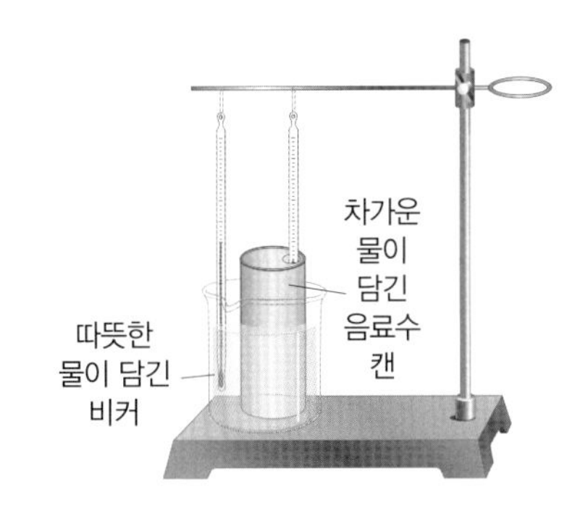

① 비커 속 물의 온도는 점점 높아진다.
② 음료수 캔 속 물의 온도는 점점 낮아진다.
③ 처음 온도가 높았던 물의 온도는 더 높아진다.
④ 음료수 캔 속의 물의 온도가 비커 속 물보다 높아진다.
⑤ 음료수 캔과 비커 속 물의 온도는 시간이 지나면 같아진다.

10 다음 중 다른 물질과 접촉하여 온도가 높아지는 경우로 옳은 것은 어느 것입니까? ( )

① 얼음 위에 놓은 생선의 온도
② 냉장고 속에 넣어둔 물의 온도
③ 얼음이 들어 있는 주머니의 온도
④ 차가운 물속에 넣어둔 과일의 온도
⑤ 따뜻한 컵에 담긴 미지근한 물의 온도

서술형으로 다지기

손에 잡히는 문제 해결

따뜻한 물에 담갔던 오른손을 미지근한 물에 넣었을 때 열의 이동 방향은 어떻게 되나요?

▼

차가운 물에 담갔던 왼손을 미지근한 물에 넣었을 때 열의 이동 방향은 어떻게 되나요?

▼

온도를 정확하게 나타낼 수 있는 방법은 무엇인가요?

01 따뜻한 물에 담갔던 오른손을 미지근한 물에 넣었더니 차갑다고 느껴졌는데, 차가운 물에 담갔던 왼손은 미지근한 물이 따뜻하다고 느껴졌습니다. 두 손이 미지근한 물의 온도를 다르게 느낀 이유와 물체의 온도를 정확하게 나타낼 수 있는 방법을 적어 보세요.

▲ 따뜻한 물 ▲ 미지근한 물

▲ 차가운 물

(1) 두 손이 미지근한 물의 온도를 다르게 느낀 이유 :

(2) 온도를 정확하게 나타낼 수 있는 방법 :

시간이 지나면 비커 속 따뜻한 물의 온도는 어떻게 될까요?

▼

시간이 지나면 음료수 캔 속 차가운 물의 온도는 어떻게 될까요?

▼

온도가 다른 두 물질이 접촉했을 때 열의 이동 방향은 어떻게 되나요?

02 다음과 같이 따뜻한 물이 들어 있는 비커에 차가운 물이 들어 있는 음료수 캔을 넣고 시간에 따른 물의 온도 변화를 측정했습니다. 비커와 음료수 캔 속의 물의 온도 변화와 열의 이동 방향을 적어보세요.

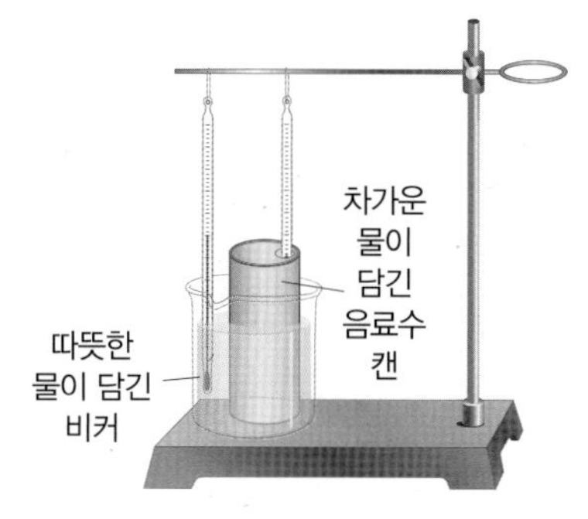

(1) 비커 속 물의 온도 변화 :

(2) 음료수 캔 속 물의 온도 변화 :

(3) 열의 이동 방향 :

03 다음과 같이 접촉하고 있는 두 물질에서 열이 이동하는 방향을 〈보기〉와 같이 화살표로 나타내 보세요.

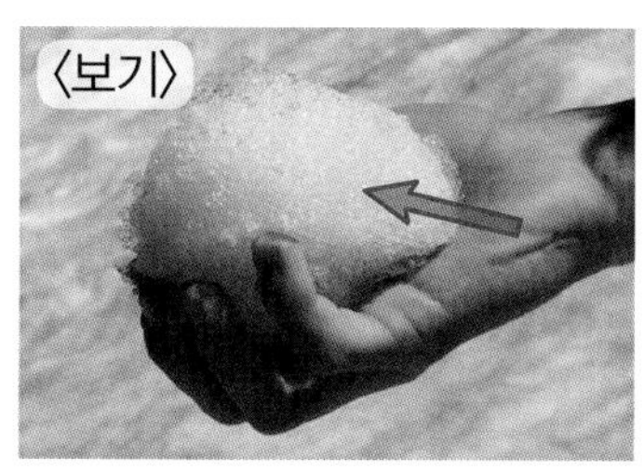

▲ 얼음과 손

▲ 얼음과 생선

▲ 드라이아이스와 아이스크림

▲ 찻숟가락과 따뜻한 코코아차

손에 잡히는 문제 해결

각 그림에서 온도가 높은 물질은 무엇인가요?

▼

각 그림에서 온도가 낮은 물질은 무엇인가요?

▼

온도가 다른 두 물질이 접촉했을 때 열의 이동 방향은 어떻게 되나요?

논술형

04 다음은 동해안 주문진 앞바다의 깊이에 따른 월별 수온 분포를 나타낸 그래프입니다. 그래프를 보고 바닷물의 깊이에 따라 온도가 어떻게 변하는지 이유와 함께 적어보세요.

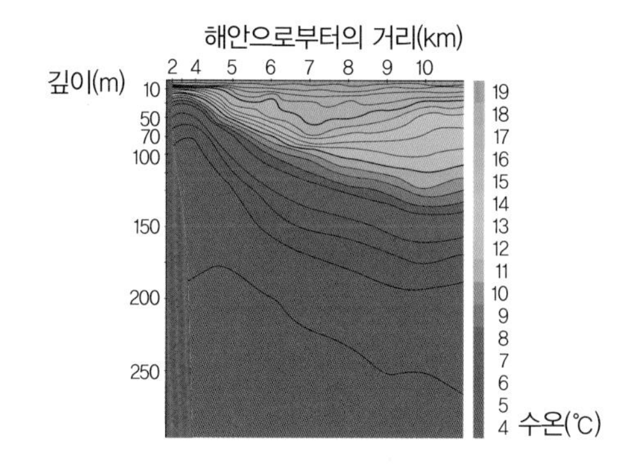

손에 잡히는 문제 해결

그래프의 세로축이 의미하는 것은 무엇인가요?

▼

그래프의 색깔이 의미하는 것은 무엇인가요?

▼

바닷물의 온도에 영향을 미치는 요인은 무엇인가요?

융합사고력 키우기

- [x] Science
  - ▶ 열과 온도
  - ▶ 온도에 따른 부피 변화
- [ ] Technology
- [x] Engineering
  - ▶ 온도계
- [ ] Art
- [ ] Mathematics

온도계의 원리

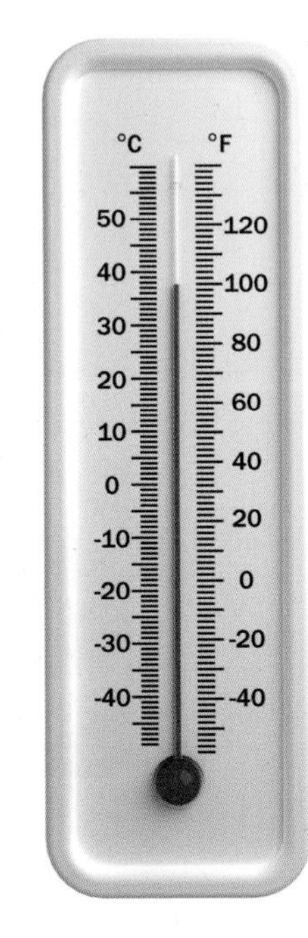

온도는 차고 더운 정도를 숫자로 표현한 것이다. 만약, 일기예보에서 "내일 날씨는 덥다 또는 춥다"고만 알려준다면 사람들이 생각하는 덥고 추운 정도는 다양하기 때문에 날씨에 어떻게 대비해야 할지 난감할 수 있다. 또한, 냉동 음식을 저장하거나 빵을 굽거나 철강 제품을 만들 때, 몸에 열이 나서 신종 독감인지 아닌지를 판단할 때 등 여러 가지 경우에 주관적인 감각만으로는 소통하기 매우 힘들다. 그러므로 차고 더운 정도를 숫자로 표현한 온도를 알려준다면 객관적인 지표가 될 수 있다. 주변에서 흔히 보는 액체 온도계는 진공 상태의 가는 유리관에 수은이나 붉은 색소를 첨가한 알코올을 넣은 온도계이다. 온도를 측정하기 위해서 이 온도계를 더운물에 담그면, 더운물에서 온도계로 열이 이동한다. 이때 열을 얻은 수은이나 알코올은 부피가 늘어나 유리관 위로 올라간다. 열평형 상태가 되면 온도계 속의 액체 부피는 더 이상 변하지 않기 때문에 이때 수은주나 알코올의 높이를 읽으면 측정하려는 물질의 온도가 된다. 알코올 온도계는 수은 온도계보다 부피 팽창률이 크기 때문에 눈금을 읽기 편하다. 그러나 끓는점이 78 ℃로 낮아 높은 온도를 측정한 후에 알코올이 유리관 벽에 붙어 눈금을 읽기 어려운 단점이 있다.

1 주변에서 흔히 볼 수 있는 액체 온도계에는 수은이나 알코올이 들어 있습니다. 알코올 온도계의 장점과 단점을 적어보세요.

용어 풀이

- **열평형(더울 熱, 평평할 平, 저울 衡)**
  서로 온도가 다른 물체를 접촉시켰을 때 열이 이동하여 온도가 같아진 상태
- **수은주(물 水, 은 銀, 기둥 柱)**
  수은 온도계의 유리관에 수은으로 채워진 부분으로, 수은주의 높이로 온도를 알 수 있다.

정답 및 해설 3쪽

2 열 변색 물감은 특정한 온도에서 색이 변하는 물질입니다. 열 변색 물감을 만드는 데 사용된 물질의 종류에 따라 색이 변하는 온도와 변하는 색을 정할 수 있습니다. 열 변색 물감으로 액정 온도계를 어떻게 만들 수 있는지 추리하여 적어보세요.

24
22
20
18
16

손에 잡히는 STEAM

액정 온도계는 일반 온도계와 모양이 어떻게 다른가요?

▼

열 변색 물감의 특징은 무엇인가요?

▼

열 변색 물감으로 온도계를 어떻게 만들 수 있나요?

논술형

3 프라이팬 바닥의 빨간 표시는 열 변색 물감을 이용해 만든 온도계로, 음식을 하기 가장 적절한 온도인 약 200 ℃가 되면 색이 변합니다. 열 변색 물감을 활용할 수 있는 방법을 두 가지 적어 보세요.

손에 잡히는 STEAM

열 변색 물감의 장점은 무엇인가요?

▼

온도에 민감하거나 온도 파악이 필요한 물건에는 무엇이 있나요?

▼

열 변색 물감을 활용할 수 있는 방법에는 무엇이 있나요?

02 고체, 액체, 기체에서 열의 이동

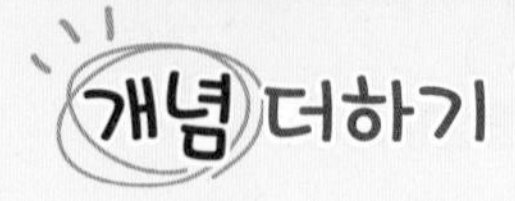

● **열 변색 붙임딱지(고온용)**
40 ℃보다 낮은 온도에서는 분홍색, 40 ℃보다 높은 온도에서는 흰색으로 바뀐다.

40 ℃ →

● **전도**
구리판 한쪽 끝을 가열하면 가열한 곳의 구리 입자가 아주 빠르게 움직이면서 옆의 구리 입자와 충돌한다. 이 구리 입자는 도미노처럼 또 옆의 구리 입자와 충돌하며 열이 전달된다. 전도는 입자의 충돌이나 접촉에 의해 열이 전달되므로 고체 물질에서 잘 일어나고 끊겨 있거나 접촉하고 있지 않으면 열이 잘 전달되지 않는다.

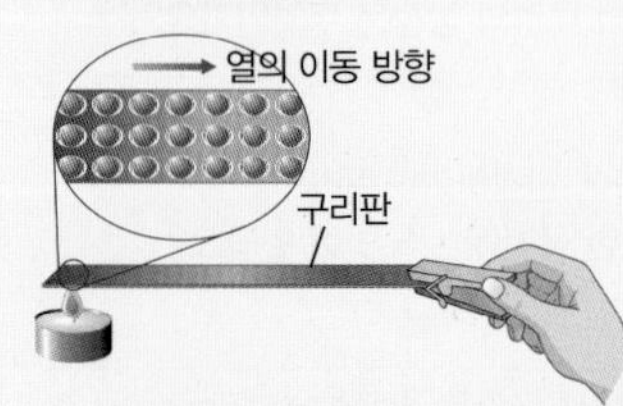

용어 풀이

✓ **전도(전할 傳, 인도할 導)**
열이 고체 물질을 따라 이동하는 현상

정답
ⓐ 가까운 ⓑ 높은 ⓒ 낮은
ⓓ 전도

1 고체에서 열의 이동

1. 고체에서 열의 이동

탐구 고체에서 열의 이동 알아보기

탐구 과정

① 구리판을 길게, 정사각형 모양, ㄷ 모양으로 각각 자른다.
② 세 가지 모양의 구리판 윗면에 열 변색 붙임딱지를 붙인다.
③ 길게 자른 구리판의 한쪽 끝부분을 가열하면서 열 변색 붙임딱지의 색깔 변화를 관찰한다.
④ 정사각형 모양 구리판의 한 꼭짓점을 가열하면서 열 변색 붙임딱지의 색깔 변화를 관찰한다.
⑤ ㄷ 모양 구리판의 한 꼭짓점을 가열하면서 열 변색 붙임딱지의 색깔 변화를 관찰한다.

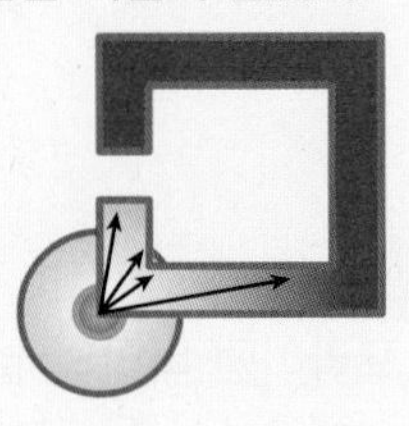

탐구 결과 및 결론

① 구리판에서 가열하는 부분과 ⓐ______ 곳에서부터 먼 곳으로 점점 색깔이 변한다.

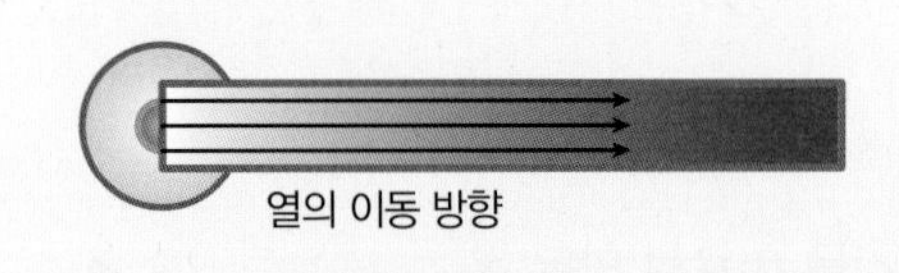

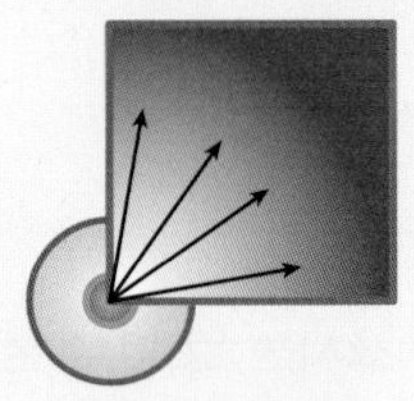

② ㄷ 모양 구리판에서 끊어진 부분은 색깔이 잘 변하지 않는다.
③ 구리판에서 열은 가열하는 곳에서부터 먼 부분으로 구리판을 따라 이동한다.
④ 고체에서의 열은 온도가 ⓑ______ 곳에서 ⓒ______ 곳으로 물질을 따라 이동한다.
⑤ 두 고체 물질이 접촉하고 있지 않으면 열이 잘 이동하지 않는다.

2. 고체에서 열이 이동하는 방법

① 고체에서 열은 온도가 높은 곳에서 낮은 곳으로 고체 물질을 따라 이동한다. ➡ ⓓ______
② 고체 물질이 끊겨 있거나, 두 고체 물질이 접촉하고 있지 않으면 열은 잘 전도되지 않는다.

3. 고체 물질의 종류와 열이 이동하는 빠르기

탐구 고체 물질의 종류에 따라 열이 이동하는 빠르기 알아보기

탐구 과정

① 구리판, 유리판, 철판 끝부분에 각각 크기가 같은 버터 조각을 붙인다.
② 세 가지 판을 따뜻한 물이 담긴 비커에 넣고 두꺼운 종이로 비커의 윗부분을 덮는다.
③ 버터 조각 하나가 움직일 때 적외선 온도계로 주변 판의 온도를 측정한다.

④ 열 변색 붙임딱지를 붙인 구리판, 유리판, 철판을 따뜻한 물이 담긴 비커에 동시에 넣는다.
⑤ 열 변색 붙임딱지의 변화를 관찰한다.

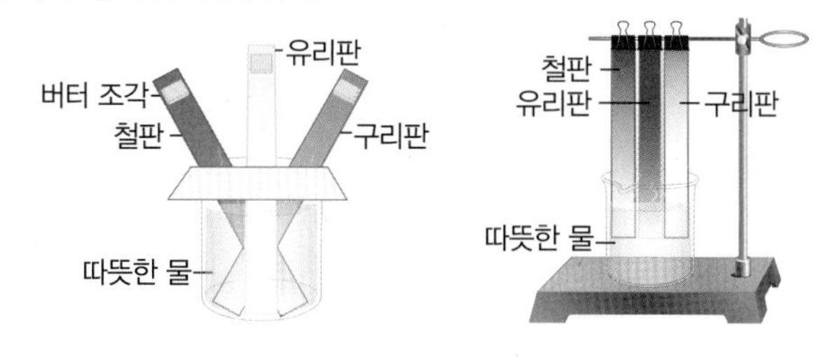

탐구 결과 및 결론

구분	철판	유리판	구리판
버터 조각 하나가 움직일 때 판의 온도(℃)	24	20	45

① 버터는 ⓐ_____ 판에서 가장 빨리 움직이고, 철판, 유리판 순서로 움직인다.
② 버터 조각 하나가 움직일 때 ⓑ_____ 판의 온도가 가장 높고, ⓒ_____ 판의 온도가 가장 낮다.
③ 열 변색 붙임딱지는 ⓓ_____ 판에서 가장 색이 빨리 변하고, 철판, 유리판 순서로 색이 변한다.
④ 철이나 구리와 같은 금속에서는 열이 이동하는 빠르기가 ⓔ_____ 고, 유리에서는 ⓕ_____ 다.
⑤ 철보다 구리에서 열이 이동하는 빠르기가 더 빠르다.

4. 고체에서 열이 이동하는 빠르기

① 유리나 나무보다 금속에서 열이 더 빠르게 이동한다. ➡ 유리판 < 철판, 구리판
② 금속의 종류에 따라서도 열이 이동하는 빠르기가 다르다. ➡ 철판 < 구리판

5. 고체에서 열이 이동하는 빠르기가 다른 성질을 이용한 경우

주전자	• 손잡이 : 열이 잘 전달되지 않는 플라스틱, 나무 등으로 만든다.
	• 바닥 : 열이 잘 전달되는 금속으로 만든다.
다리미	• 손잡이 : 열이 잘 전달되지 않는 플라스틱, 나무 등으로 만든다.
	• 바닥 : 열이 잘 전달되는 금속으로 만든다.

6. 단열

① ⓖ_____ : 열의 이동을 막는 것
② 솜, 천, 종이, 나무, 공기, 스타이로폼, 플라스틱, 가죽 등 열이 전달되는 빠르기가 ⓗ_____ 물질을 이용한다.
③ 단열의 예 : 보온병, 이중 유리창, 건물 외벽, 방한복 등

▲ 건물 외벽의 단열재

개념 더하기

● 고체에서 열이 이동하는 빠르기

• 고체에서 열이 이동하는 빠르기를 열전도율이라 하고, 열전도율은 물질에 따라 다르다.
• 은, 구리, 금, 알루미늄과 같은 금속은 열이 잘 전달된다.
• 유리, 물, 나무, 공기와 같은 비금속은 열이 잘 전달되지 않는다.

[단위 : W/m·K]

금속	속도	비금속	속도
은	100	콘크리트	0.20
구리	92	유리	0.17
금	71	물	0.14
알루미늄	49	나무	0.04
철	12	공기	0.006

● 액체와 기체에서의 열의 전도

액체와 기체에서도 전도가 일어날 수 있으나 고체에 비해 열전도율이 매우 작아서 전도가 잘 되지 않는다.

용어 풀이

단열(끊을 斷, 더울 熱)
물체와 물체 사이에 열이 서로 통하지 않도록 막음

정답

ⓐ 구리 ⓑ 구리 ⓒ 유리
ⓓ 구리 ⓔ 빠르 ⓕ 느리
ⓖ 단열 ⓗ 느린

02 열의 이동

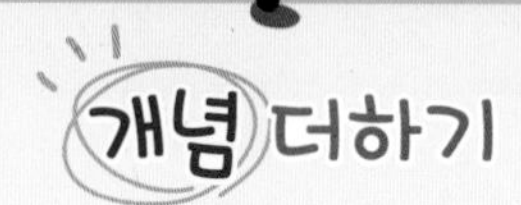

● 액체에서 열의 이동을 알아볼 수 있는 다른 실험

얼음이 든 캔에서는 색소물이 아래쪽으로 이동하고, 뜨거운 물이 담긴 캔에서는 색소물이 위로 이동한다.

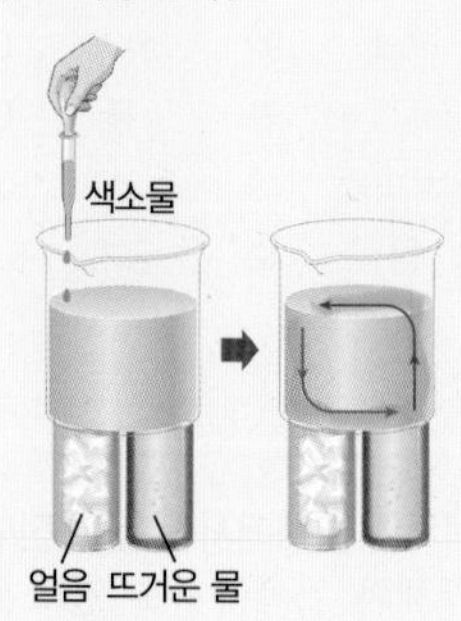

용어 풀이

대류(대할 對, 흐를 流) 기체나 액체에서 물질이 이동함으로써 열이 이동하는 현상

ⓐ 위 ⓑ 아래 ⓒ 위
ⓓ 아래 ⓔ 대류

2 액체에서 열의 이동

1. 액체에서 열의 이동

탐구 액체에서 열의 이동 알아보기

탐구 과정

① 플라스틱 컵 네 개를 거꾸로 뒤집은 후 위에 사각 수조를 올려놓는다.
② 사각 수조에 차가운 물을 넣고 스포이트로 수조 바닥에 파란색 잉크를 천천히 넣는다.
③ 파란색 잉크 아래에 뜨거운 물이 담긴 종이컵을 놓고 가열하며 잉크의 움직임을 관찰한다.

탐구 결과 및 결론

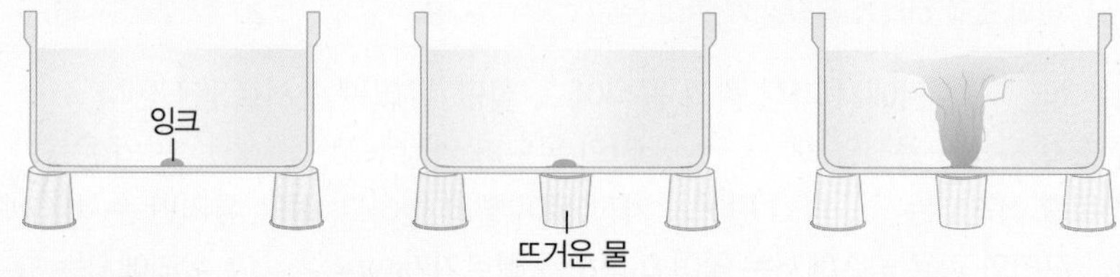

① 파란색 잉크가 점점 ⓐ______로 이동한다.
② 온도가 높아진 파란색 잉크가 위로 이동하고 위에 있던 물이 ⓑ______로 내려와 섞인다.

2. 액체에서 열이 이동하는 방법

① 액체를 가열하면 온도가 높아진 물은 ⓒ______로 올라가고 위에 있던 온도가 낮은 물은 ⓓ______로 내려온다. 이 과정이 반복되면서 시간이 충분히 지나면 물 전체가 따뜻해진다.
② 액체에서는 주변보다 온도가 높아진 물질이 직접 위로 이동해 열을 전달한다. ➡ ⓔ______
③ 물을 끓이면 불이 닿는 아랫부분의 물의 온도가 높아져 위로 올라가고 시간이 지나면 전체적으로 따뜻해진다.
④ 욕조에 담긴 물은 윗부분이 아랫부분보다 뜨겁다.

3 기체에서 열의 이동

1. 기체에서 열의 이동

탐구 기체에서 열의 이동 알아보기

탐구 과정

① 삼발이 아래에 알코올램프를 놓는다.
② 알코올램프에 불을 붙이지 않고, 삼발이 위쪽에서 비눗방울을 불고 움직임을 관찰한다.
③ 알코올램프에 불을 붙인 후 삼발이 위쪽에서 비눗방울을 불고 움직임을 관찰한다.

탐구 결과 및 결론

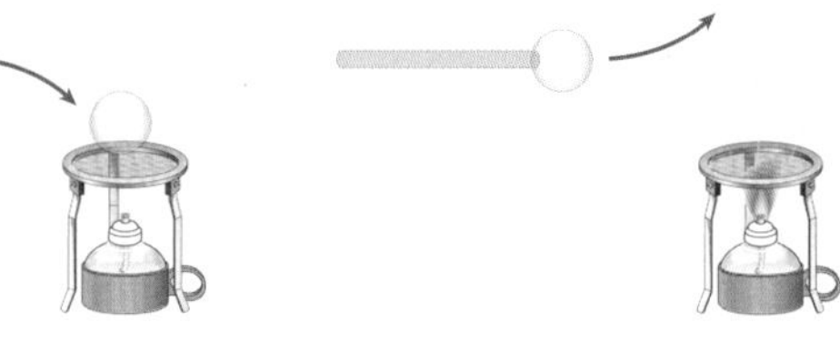

① 알코올램프에 불을 붙이지 않았을 때 비눗방울은 ⓐ_____로 내려간다.
② 알코올램프에 불을 붙였을 때 비눗방울은 ⓑ____로 올라간다.
③ 온도가 높아진 공기는 위로 올라간다.

2. 기체에서 열이 이동하는 방법

① 공기를 가열하면 온도가 높아진 공기는 ⓒ____로 올라가고 위에 있던 온도가 낮은 공기는 ⓓ_____로 내려온다. 이 과정이 반복되면서 시간이 충분히 지나면 전체 공기가 따뜻해진다.
② 기체에서는 주변보다 온도가 높아진 물질이 직접 위로 이동해 열을 전달한다. ➡ ⓔ_____
③ **난방 기구** : 주위 공기를 가열하므로 아래쪽에 설치하여 따뜻한 공기가 위로 올라가게 한다.
④ **냉방 기구** : 차가운 공기가 나오므로 위쪽에 설치하여 차가운 공기가 아래로 내려가게 한다.

⑤ 화재가 발생하면 온도가 높아진 기체가 천장으로 모이므로 몸을 낮추어 이동해야 한다.

4 단열이 잘되는 집 모형

1. 단열이 잘되는 집 모형의 특징

① 셀로판테이프로 열이 빠져나갈 수 있는 빈틈을 모두 막는다.
② 벽면, 지붕, 창문에 열이 잘 이동하지 않는 단열 재료를 붙인다.
예 우드록, 색점토, 비닐랩 등
③ 단열이 잘되는 집은 따뜻한 핫팩 위에 집 모형을 올려놓고 집 모형 안쪽의 온도를 재면 온도가 ⓕ____게 유지된다.

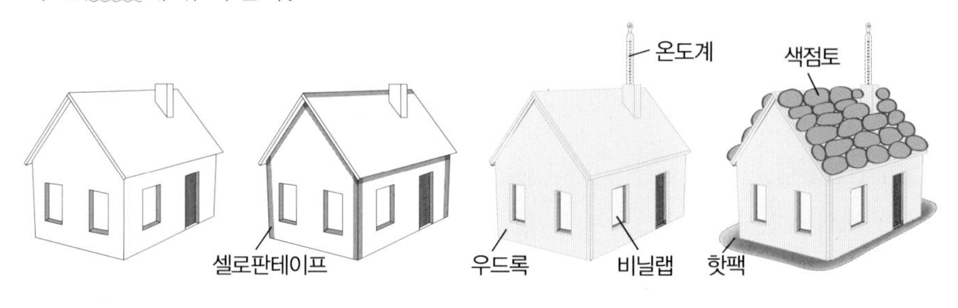

개념 더하기

● 고체, 액체, 기체에서 열의 이동 비교
- **고체** : 물질 입자가 움직이지 않고 열이 물질을 따라 이동한다. ➡ 전도
- **액체, 기체** : 액체와 기체가 직접 위아래로 움직여 열이 이동한다. ➡ 대류

● 보온병의 원리
- 뚜껑은 이중 구조로 되어 있어 전도와 대류에 의한 열의 이동을 막는다.
- 유리의 벽면은 은도금 되어 있어 열을 내부로 다시 반사해 열의 이동을 막는다.
- 진공 상태는 열이 전달될 물질이 없으므로 전도에 의한 열의 이동을 막는다.

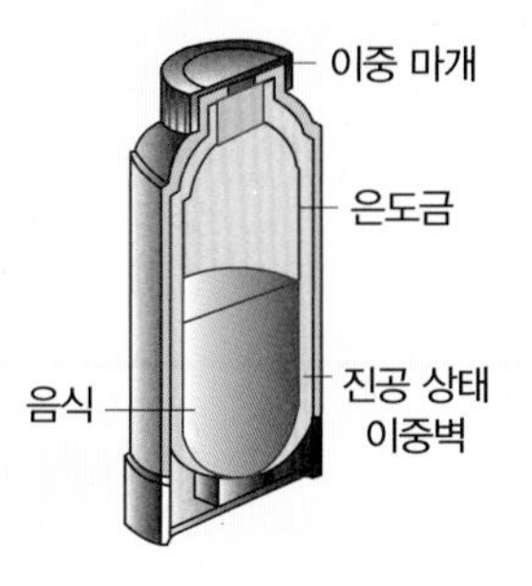

정답
ⓐ 아래 ⓑ 위 ⓒ 위
ⓓ 아래 ⓔ 대류 ⓕ 높

01 따뜻한 물에 숟가락을 담가 두면 숟가락이 따뜻해지는 이유를 바르게 설명한 것은 어느 것입니까? (　　)

① 주위의 공기가 따뜻하기 때문이다.
② 숟가락 위로 물이 올라오기 때문이다.
③ 열이 숟가락에서 물로 이동하기 때문이다.
④ 열이 물에서 숟가락으로 이동하기 때문이다.
⑤ 열이 공기에서 숟가락으로 이동하기 때문이다.

02 다음 중 ㉠과 ㉡에 들어갈 말을 바르게 짝지은 것은 어느 것입니까? (　　)

> 고체를 가열하면 가열된 곳의 온도는 (㉠)지고, 가열하는 곳에서 멀리 떨어진 곳의 온도는 가열된 곳보다 (㉡)다. 따라서 고체에서는 열이 가열한 곳에서 가까운 부분에서부터 먼 부분으로 전달된다.

	㉠	㉡		㉠	㉡
①	낮아	낮	②	낮아	높
③	높아	낮	④	높아	높
⑤	높아	같			

신유형

03 다음과 같이 세 가지 모양의 구리판에 열 변색 붙임딱지를 붙인 후 각각 촛불로 가열했습니다. 이 실험에 대한 설명으로 옳지 않은 것은 어느 것입니까? (　　)

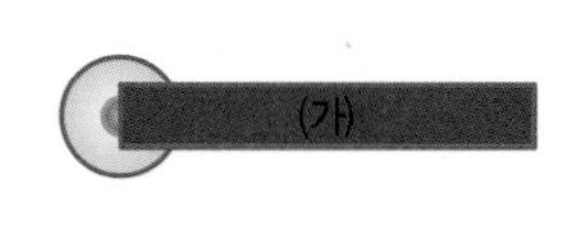

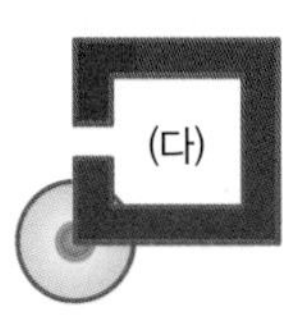

① 촛불이 닿는 부분의 온도가 가장 높다.
② (가)는 왼쪽에서 오른쪽으로 점점 색이 변한다.
③ (나)는 왼쪽 아래에서부터 점점 색이 변한다.
④ (다)는 끊어진 부분을 통해서도 열이 전달된다.
⑤ 이 실험을 통해 열은 온도가 높은 곳에서 낮은 곳으로 이동함을 알 수 있다.

04 구리판 한쪽 끝을 가열하면 가열하지 않은 다른 쪽도 뜨거워집니다. 이와 같은 원리로 열이 이동하는 것은 어느 것입니까? (　　)

① 뜨거운 음식을 담은 그릇이 따뜻해진다.
② 난로 주위의 따뜻한 공기가 실내 전체로 퍼진다.
③ 추운 날, 따뜻한 교실 문 위쪽의 향 연기가 문 밖으로 나간다.
④ 톱밥을 넣고 물을 끓이면 톱밥이 위아래로 움직이면서 빙글빙글 돈다.
⑤ 욕조의 한 쪽에 따뜻한 물을 넣으면 잠시 뒤에 욕조 물 전체가 따뜻해진다.

중요

05 다음과 같이 구리판, 유리판, 철판 끝에 각각 버터 조각을 붙인 후 따뜻한 물이 담긴 비커에 동시에 넣어 두었습니다. 이 실험에 대한 설명으로 옳은 것은 어느 것입니까? (　　)

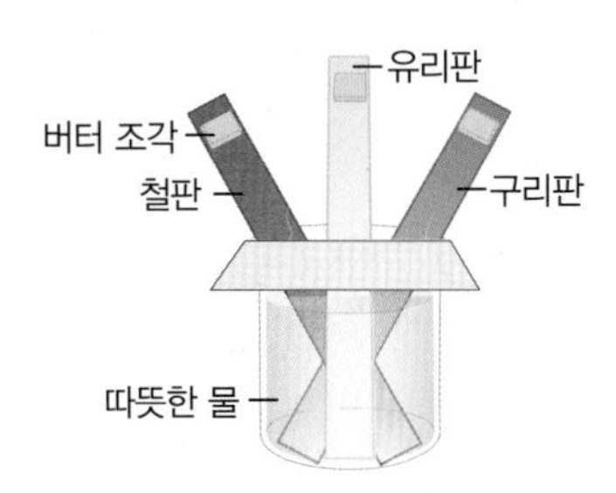

① 철판의 버터 조각이 가장 빨리 움직인다.
② 구리판의 버터 조각이 가장 느리게 움직인다.
③ 버터 조각 하나가 움직였을 때 적외선 온도계로 각 판의 온도를 재면 유리판의 온도가 가장 높다.
④ 철판에서 열이 이동하는 빠르기가 가장 빠르다.
⑤ 열은 유리보다 철이나 구리와 같은 금속에서 더 빨리 이동한다.

06 다음은 차가운 물이 담긴 수조 가운데에 파란색 잉크를 넣고, 잉크 아래에 뜨거운 물이 담긴 종이컵을 놓은 모습입니다. 이 실험에 대한 설명으로 옳은 것을 모두 고르세요. (,)

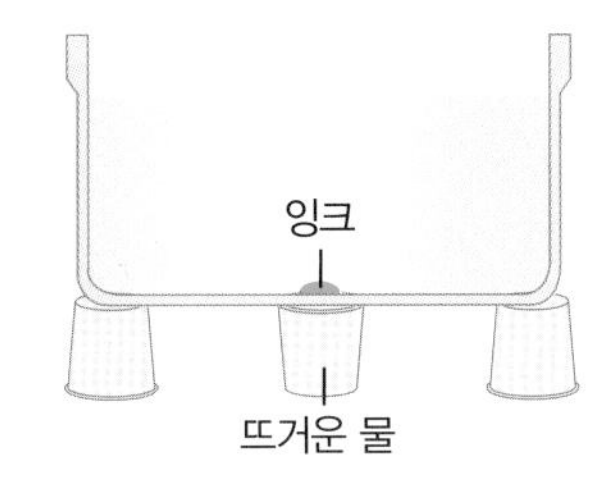

① 잉크가 위로 올라간다.

② 잉크가 아래로 넓게 퍼진다.

③ 잉크가 동그란 모양을 그대로 유지한다.

④ 온도가 높아진 잉크가 직접 이동하면서 열을 전달한다.

⑤ 잉크 아래에 뜨거운 물 대신 찬물이 담긴 종이컵을 놓으면 잉크가 더 빠르게 움직인다.

07 다음 중 물이 담겨 있는 냄비를 가열하면 물 전체가 따뜻해지는 이유로 옳은 것은 어느 것입니까? ( )

① 냄비 전체가 뜨거워지기 때문이다.

② 냄비 옆 부분에 불꽃이 닿기 때문이다.

③ 열이 가열된 물에서 냄비로 이동하기 때문이다.

④ 가열된 물이 아래로 이동하고 차가운 물이 위로 올라가며 열을 직접 전달하기 때문이다.

⑤ 가열된 물이 위로 올라가고 차가운 물이 아래로 내려오며 열을 직접 전달하기 때문이다.

08 다음과 같이 알코올램프에 불을 붙이지 않았을 때와 불을 붙였을 때 각각 삼발이 위쪽에서 비눗방울을 불었습니다. 이 실험에 대한 설명으로 옳은 것은 어느 것입니까? ( )

① 공기를 가열하면 온도가 높아진 공기는 아래로 내려간다.

② 알코올램프에 불을 붙이지 않으면 비눗방울이 위로 올라간다.

③ 알코올램프에 불을 붙이지 않으면 비눗방울이 수평으로 계속 움직인다.

④ 알코올램프에 불을 붙이면 비눗방울이 위로 올라간다.

⑤ 알코올램프에 불을 붙이면 비눗방울이 아래로 내려간다.

신유형

09 다음 중 단열이 잘되는 집 모형을 만들기 위한 방법으로 옳지 않은 것은 어느 것입니까? ( )

① 셀로판테이프로 열이 빠져나갈 수 있는 빈틈을 모두 막는다.

② 벽면에 열이 잘 이동하지 않는 우드록을 붙인다.

③ 지붕에 열이 잘 이동하는 색점토를 붙인다.

④ 창문에 열이 잘 이동하지 않는 비닐랩을 붙인다.

⑤ 단열이 잘되는 집 모형을 따뜻한 핫팩 위에 올려놓고 온도를 재면 집 안의 온도가 높게 유지된다.

서술형으로 다지기

손에 잡히는 문제 해결

고구마를 익힐 때 휴대용 가스레인지의 역할은 무엇인가요?

냄비와 물의 역할은 무엇인가요?

쇠젓가락의 용도는 무엇인가요?

01 동현이는 가족과 함께 캠핑을 갔습니다. 캠핑장에서 다음과 같은 도구를 모두 이용하여 가장 빨리 고구마를 익힐 수 있는 방법을 고안하고 그렇게 생각한 이유를 적어보세요.

[고구마를 익히는 데 필요한 도구]
휴대용 가스레인지, 냄비, 쇠젓가락, 물

(1) 고구마를 가장 빨리 익힐 수 있는 방법 :

(2) 이유 :

에어컨의 역할은 무엇인가요?

난로의 역할은 무엇인가요?

온도가 높은 공기와 온도가 낮은 공기가 움직이는 방향은 어떠한가요?

02 대부분 에어컨은 천장이나 한쪽 벽 높은 곳에 설치하고 난로는 바닥이나 아래쪽에 설치합니다. 그 이유를 적어보세요.

정답 및 해설
4쪽

03 다음은 지후가 만든 풍등 아래쪽에 불을 붙인 모습입니다. 풍등이 부풀어 올랐을 때 잡았던 손을 놓으면 어떻게 되는지 이유와 함께 적어보세요.

손에 잡히는 문제 해결

풍등 속에는 무엇이 들어 있나요?

불의 역할은 무엇인가요?

풍등이 부풀면 풍등 내부 공기에 어떤 변화가 생기나요?

04 보온병은 음식을 담는 그릇을 다시 한번 감싼 이중벽 구조입니다. 보온병의 구조를 살펴보고 보온병을 이중벽으로 만들었을 때 좋은 점을 적어보세요.

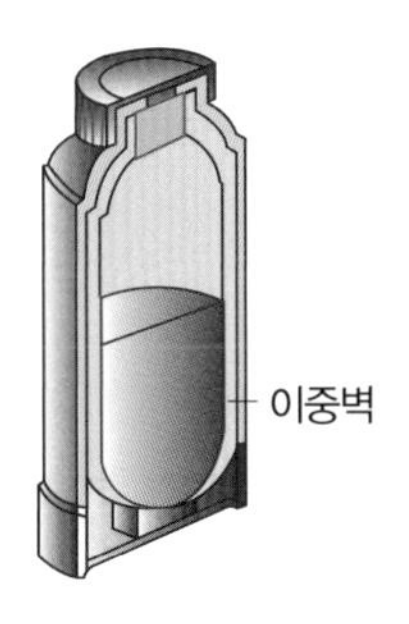

손에 잡히는 문제 해결

보온병의 역할은 무엇인가요?

보온병의 벽을 한 겹으로 만들었을 때 나타날 수 있는 문제점은 무엇인가요?

보온병의 이중벽 사이에는 무엇이 있나요?

융합사고력 키우기

- ✓ Science
  - ▶ 열의 이동
- ✓ Technology
  - ▶ 단열
- ✓ Engineering
  - ▶ 석빙고
- Art
- Mathematics

석빙고를 털어라! 조선시대 냉장고의 비밀

"서빙고 얼음을 통째로 털어 바람과 함께 사라지는 겁니다!"

2012년 약 491만의 관객을 동원하며 인기를 끌었던 영화 '바람과 함께 사라지다'의 주인공 '이덕무'는 도굴꾼, 폭탄제조가, 변장의 달인 등 조선 최고의 전문가들을 모아놓고 '거사'를 제안한다. 우의정의 서자로 출세욕 없이 살았지만, 아버지가 정치적으로 억울한 귀양살이를 하게 되자, 얼음 창고를 털 계획을 세운다. 고작 '얼음?'이라고 생각할 수 있겠지만, 냉장고가 없었던 조선 시대에 얼음은 금붙이보다 귀했다. 겨울에 꽁꽁 언 한강 얼음을 잘라서 넣어두면 될 것 같지만, 여름에도 녹지 않게 얼음을 보관하는 것은 간단하지 않다. 석빙고를 지어 무더위에도 얼음이 녹지 않도록 해줘야 하기 때문이다. 영화 속 부패 세력도 석빙고를 추가로 만들지 못하고, 나라에서 만든 석빙고의 얼음 유통권을 독점하는 방식으로 이득을 취했다. 당시 석빙고를 제작하고 관리하는 것은 많은 돈과 기술이 필요한 '거대과학'이었기 때문이다.

1 새로운 지역에 석빙고를 지으려고 합니다. 석빙고를 지을 장소는 어떤 특징을 가진 곳이어야 할지 적어보세요.

용어 풀이

- **석빙고(돌 石, 얼음 氷, 곳간 庫)**
  얼음을 넣어 두던 창고
- **서빙고(서쪽 西, 얼음 氷, 곳간 庫)**
  조선시대에 궁중에서 쓸 얼음을 관리하던 관청으로, 서울특별시 용산구 서빙고동에 있었다.
- **거사(클 巨, 일 事)**
  매우 거창한 일
- **서자(여러 庶, 아들 子)**
  양반과 평민 여성 사이에서 낳은 아들
- **단열(끊을 斷, 더울 熱)**
  물체와 물체 사이에 열이 서로 통하지 않도록 막는 것
- **너덜**
  돌이 많이 흩어져 있는 비탈

2 석빙고는 안쪽을 지면보다 낮게 파 얼음을 저장할 수 있도록 했습니다. 천장에는 굴뚝을 만들고, 얼음은 (ㄱ)짚이나 왕겨로 싸서 바닥부터 쌓았으며, 석빙고 주변은 (ㄴ)화강암으로 둘러 쌓았습니다. 석빙고에서 (ㄱ), (ㄴ)과 같은 재료를 사용한 이유를 적어보세요.

석빙고

손에 잡히는 STEAM

- 석빙고는 무엇인가요?
- 단열 효과란 무엇인가요?
- 석빙고의 단열 효과를 높이기 위해 사용한 방법은 무엇인가요?

논술형

3 밀양 얼음골에서 여름에 얼음이 생기는 이유는 열의 이동을 막는 암석에 의한 '단열'과 찬 공기와 더운 공기의 흐름으로 설명할 수 있습니다. 오른쪽 그림을 바탕으로 여름에 얼음골에서 얼음이 생기는 이유를 적어보세요.

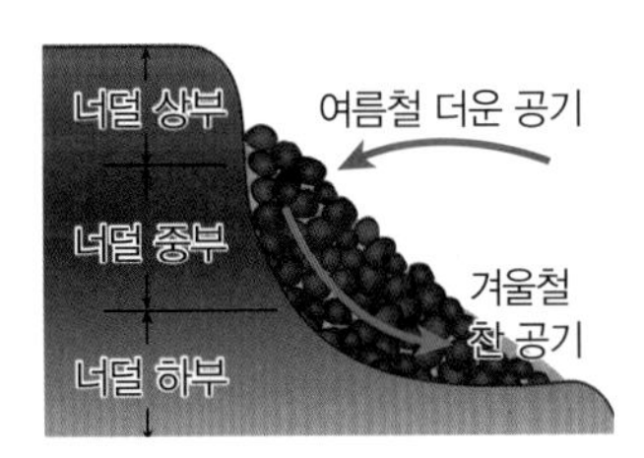

- 얼음골 암석의 특징은 무엇인가요?
- 얼음골에서 여름철의 더운 공기는 어떻게 이동할까요?
- 여름에 얼음골에 얼음이 생기는 이유는 무엇인가요?

탐구력 키우기

손으로 돌리는 프로펠러

열은 온도 차이에 의해 한쪽 물체에서 다른 쪽 물체로 이동하거나 물질의 상태를 변화시키는 에너지입니다. 실험을 통해 열이 이동하는 방법을 알아보세요.

준비물

약포지 또는 얇은 종이, 가위, 펜, 자, 지우개, 시침바늘, 지우개 달린 연필

탐구 과정

① 약포지(얇은 종이)를 가로, 세로 7 cm의 정사각형 모양으로 자른다.
② 정사각형 모양의 종이를 대각선 방향으로 접는다.
③ 두 대각선이 만나는 중심이 종이 위로 약 1 cm 올라오도록 종이를 접는다.
④ 시침바늘을 지우개 달린 연필 끝에 고정한다.
⑤ 연필을 받침이 되는 큰 지우개에 꽂는다.
⑥ 시침바늘 끝에 접은 종이를 중심을 잘 맞추어 올려놓는다.
⑦ 손을 모아 종이의 아래쪽에 가까이 가져간다.
⑧ 손을 움직이지 말고 가만히 있으면서 종이를 관찰한다.

프로펠러

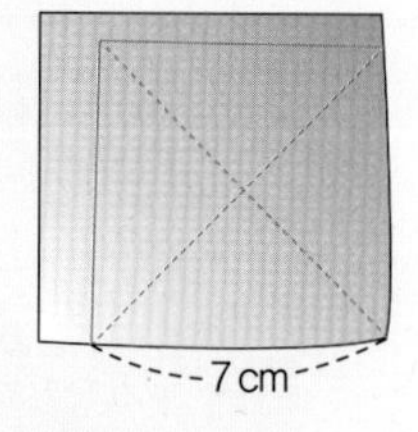

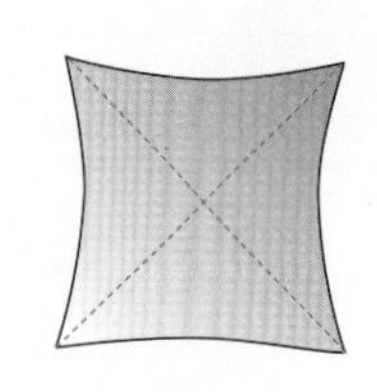

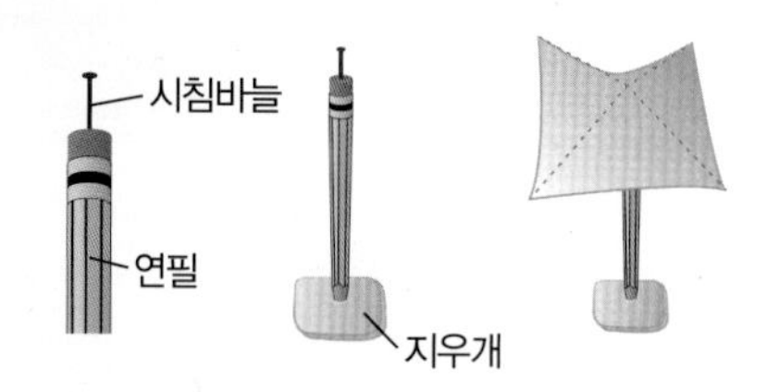

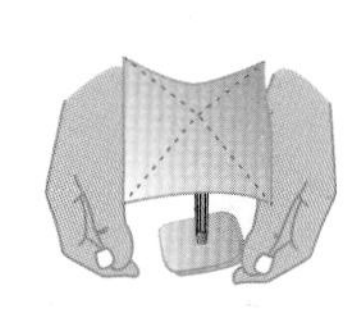

주의사항

- 손을 최대한 종이 아래쪽에 가까이 가져간다.
- 손으로 종이를 건드리지 않는다.
- 종이를 건드려 움직였다면 조금 기다렸다가 다시 실험한다.

정답 및 해설 5쪽

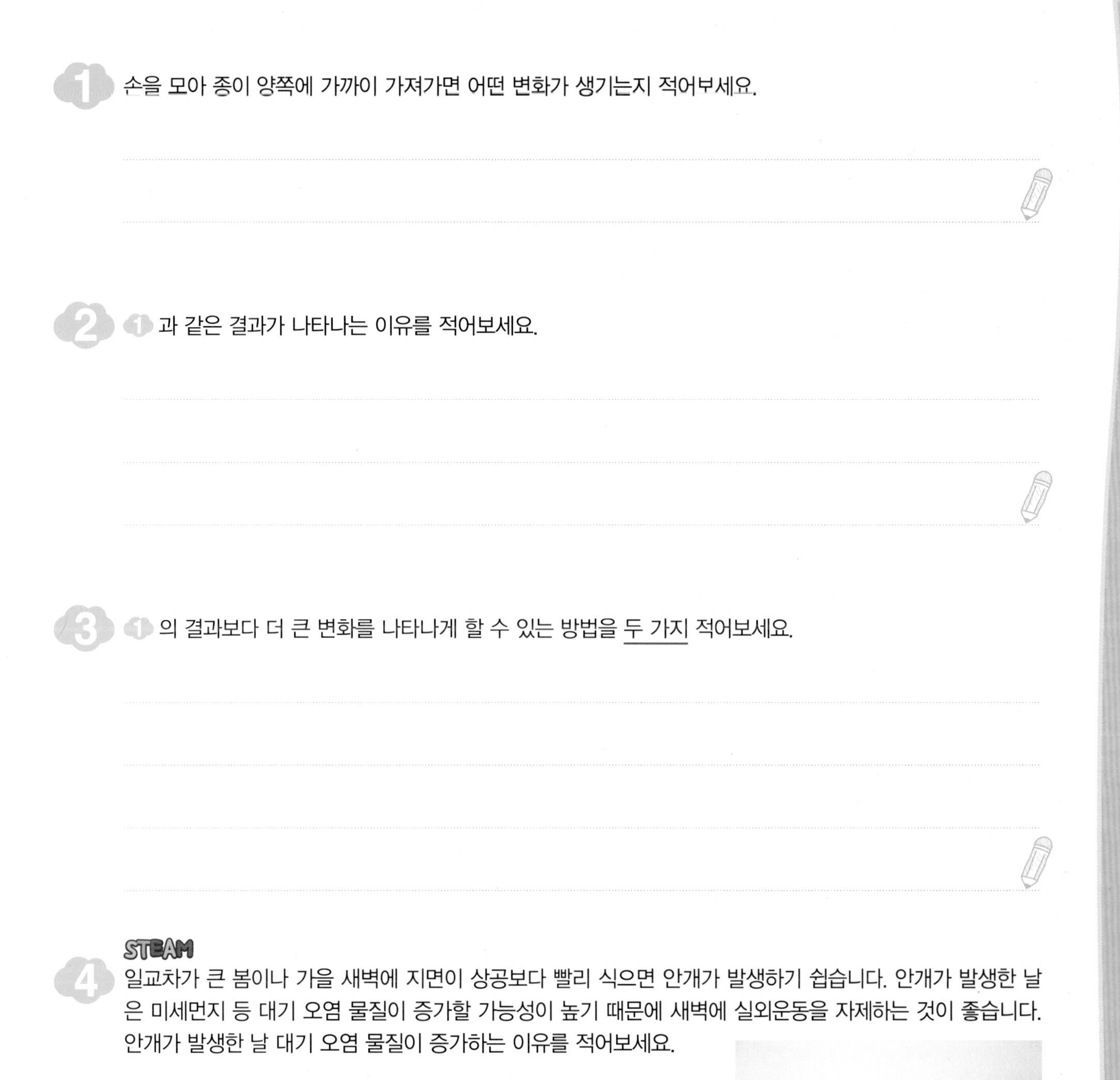

1 손을 모아 종이 양쪽에 가까이 가져가면 어떤 변화가 생기는지 적어보세요.

2 1 과 같은 결과가 나타나는 이유를 적어보세요.

3 1 의 결과보다 더 큰 변화를 나타나게 할 수 있는 방법을 두 가지 적어보세요.

STEAM

4 일교차가 큰 봄이나 가을 새벽에 지면이 상공보다 빨리 식으면 안개가 발생하기 쉽습니다. 안개가 발생한 날은 미세먼지 등 대기 오염 물질이 증가할 가능성이 높기 때문에 새벽에 실외운동을 자제하는 것이 좋습니다. 안개가 발생한 날 대기 오염 물질이 증가하는 이유를 적어보세요.

새벽운동

Ⅱ 태양계와 별

태양이 지구의 에너지원임을 이해하고, 태양계를 구성하는 행성들의 크기와 태양으로부터 행성까지의 상대적인 거리를 비교하여 태양계의 구조와 광대함을 알아본다. 별과 별자리의 의미를 알고, 북극성을 찾아 방위를 찾아본다.

★ 2015 개정 교육과정 교과서

초등 5~6학년 군 :
5학년 1학기 3단원 태양계와 별

★ 다른 학년과의 연계

초등 3~4학년 군 : 지구의 모습
초등 5~6학년 군 : 지구와 달의 운동
중학교 1~3학년 군 : 태양계, 별과 우주

태양, 행성, 위성 등으로 구성된

03 태양계

1 태양계 구성원

1. 태양

① ⓐ______ : 태양계에서 스스로 빛을 내는 유일한 천체인 별이다.

② 태양과 지구

- 지구를 따뜻하게 하여 생물이 살아가기 알맞은 환경으로 만들어 준다.
- 식물은 태양 빛을 이용해 양분을 만들고, 동물은 식물이 만든 양분을 먹고 산다.
- 물이 순환하는 데 필요한 에너지를 끊임없이 공급해 준다.
- 우리가 살아가는 데 필요한 대부분의 ⓑ______를 태양에서 얻는다.

2. 태양계

① ⓒ______ : 태양과 태양의 영향을 받는 천체들, 그리고 그 공간

② **태양계 구성원** : 태양, 행성, 위성, 소행성, 혜성, 유성 등

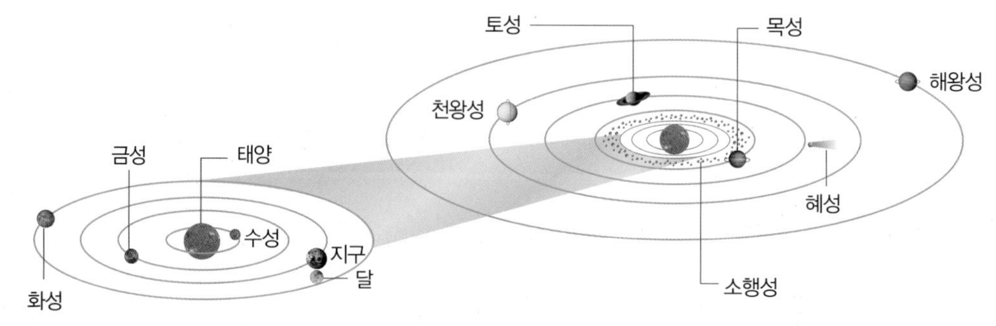

③ 행성

- ⓓ______ 주위를 돌고 있는 둥근 천체
- 스스로 빛을 내지 못하고 태양 빛을 ⓔ______하여 밝게 보인다.
- 각 행성의 특징

개념 더하기

● **태양이 소중한 까닭**

지구에 살고 있는 생물은 태양으로부터 오는 에너지를 이용하여 살아간다. 만약 태양이 없다면 지구에는 어떤 생물도 살 수 없다.

● **별과 행성의 차이점**

- 별은 스스로 빛을 내지만, 행성은 스스로 빛을 내지 못하고 별빛을 반사하여 밝게 보인다.
- 행성은 별 주위를 돌고 있는 천체이다.

용어 풀이

천체(하늘 天, 몸 體)
우주에 있는 별, 행성, 위성, 소행성 등을 모두 가리키는 말

정답

ⓐ 태양 ⓑ 에너지 ⓒ 태양계
ⓓ 태양 ⓔ 반사

행성	특징
수성	• 태양에서 가장 가깝고, 운석 구덩이가 많다. • 대기와 물이 존재하지 않아 밤과 낮의 온도 차가 크고 풍화 작용이 일어나지 않는다. • 표면 물질이 암석으로 되어 있고, 위성과 고리가 없다.
금성	• 지구에서 가장 가깝고, 두꺼운 구름으로 덮여 있다. • 대기층이 햇빛을 잘 반사하므로 행성 중 가장 밝게 보인다. • 표면 물질이 암석으로 되어 있고, 위성과 고리가 없다.
ⓐ ______	• 행성 중 유일하게 표면에 물이 있고, 생물이 존재한다. • 표면 물질이 암석으로 되어 있고, 위성인 달이 있으며 고리가 없다.
화성	• 붉게 보이고, 소량의 대기가 존재한다. • 표면에 물이 흘렀던 흔적이 있고, 양극에는 드라이아이스로 이루어진 극관이 있다. • 표면 물질이 암석으로 되어 있고, 2개의 위성이 있으며 고리가 없다.
ⓑ ______	• 태양계 행성 중 가장 크고, 여러 개의 위성과 희미한 고리가 있다. • 표면 물질이 기체로 되어 있고, 가로줄 무늬가 있으며 남반구에 대적점이 있다.
ⓒ ______	• 표면에 가로줄 무늬가 있고, 여러 개의 위성과 태양계에서 가장 아름다운 고리가 있다. • 표면 물질이 기체로 되어 있고, 물보다 밀도가 작다.
천왕성	• 청록색으로 보이고, 맨눈으로는 보이지 않는다. • 표면 물질이 기체로 되어 있고, 여러 개의 위성과 고리가 있다.
해왕성	• 파란색으로 보이고, 표면에 대흑점이 있으며 맨눈으로는 보이지 않는다. • 표면 물질이 기체로 되어 있고, 여러 개의 위성과 고리가 있다.

④ ⓓ ______ : 행성 주위를 돌고 있는 천체 예 달(지구의 위성), 포보스(화성의 위성) 등

⑤ **소행성** : 화성과 목성 사이를 공전하는 작은 암석 덩어리

⑥ **혜성** : 태양 주위를 돌고 있는 꼬리가 있는 천체 예 핼리 혜성, 헤일-밥 혜성 등

⑦ **유성(별똥별)** : 태양계 공간을 떠돌던 작은 천체가 지구의 인력에 의해 대기권으로 떨어질 때 공기와의 마찰로 밝은 빛을 내며 타는 천체

⑧ **운석** : 유성의 일부가 대기권으로 들어올 때 완전히 타지 않고 지상에 떨어진 것

▲ 위성(달)

▲ 소행성

▲ 핼리 혜성

▲ 유성(별똥별)

▲ 운석

개념 더하기

● **행성의 분류**

고리가 있는 행성	고리가 없는 행성
목성, 토성, 천왕성, 해왕성	수성, 금성, 지구, 화성

위성이 있는 행성	위성이 없는 행성
지구, 화성 목성, 토성, 천왕성, 해왕성	수성, 금성

표면 물질이 암석인 행성	표면 물질이 암석이 아닌 행성
수성, 금성, 지구, 화성	목성, 토성, 천왕성, 해왕성

● **행성의 고리**

목성, 천왕성, 해왕성의 고리는 토성의 고리에 비해 사진으로 잘 나타나지 않는다.

용어 풀이

위성(호위할 衛, 별 星)
행성 주위를 도는 천체

혜성(꼬리별 彗, 별 星)
얼음과 먼지로 이루어진 천체로, 태양 근처에 오면 기다란 꼬리가 생긴다.

정답

ⓐ 지구 ⓑ 목성 ⓒ 토성
ⓓ 위성

03 태양계

개념 더하기

● **태양의 크기**

태양의 반지름은 지구 반지름의 약 109배로, 약 696,000 km이다. 태양과 지구를 비교하면 지구는 작은 점처럼 보인다.

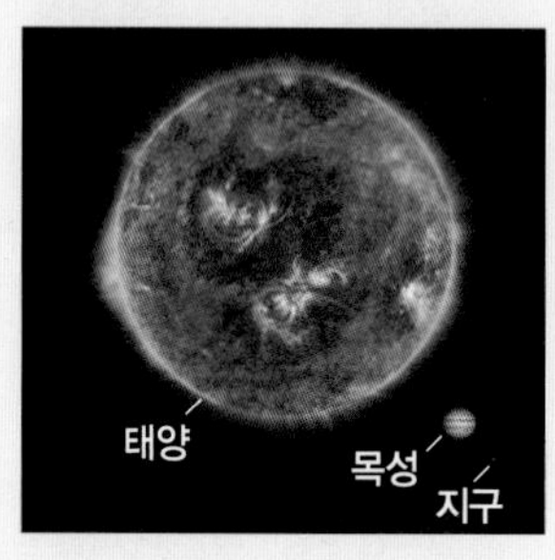

● **태양계 행성의 크기 비교**

지구가 반지름이 1 cm인 유리구슬 크기라고 하면, 목성의 크기는 축구공과 비슷하고, 토성은 핸드볼 공, 천왕성과 해왕성은 야구공, 수성과 화성은 콩과 비슷하다.

용어 풀이

✓ **일식(날 日, 좀 먹을 蝕)**
지구에서 볼 때 달이 태양을 전부 또는 일부를 가리는 현상

정답

ⓐ 수성 ⓑ 목성 ⓒ 금성 ⓓ 작 ⓔ 큰

2 태양계 행성의 크기 비교

1. 각 행성의 반지름 비교

① 태양계 행성의 실제 크기는 매우 커서 직접 비교하는 것이 불가능하므로 상대적인 크기로 비교한다.

② 지구의 반지름(6,400 km)을 1로 보았을 때 각 행성의 반지름

행성	수성	금성	지구	화성	목성	토성	천왕성	해왕성
반지름	0.38	0.95	1.00	0.53	11.21	9.45	4.01	3.88

- 태양계 행성 중에서 가장 작은 것은 ⓐ＿＿＿이고, 가장 큰 것은 ⓑ＿＿＿이다.
- 태양계 행성 중에서 지구와 크기가 가장 비슷한 것은 ⓒ＿＿＿이다.
- 수성, 금성, 지구, 화성은 상대적으로 크기가 ⓓ＿＿은 행성에 속한다.
- 목성, 토성, 천왕성, 해왕성은 상대적으로 크기가 ⓔ＿＿ 행성에 속한다.

2. 지구 크기를 기준으로 한 행성의 분류

지구 크기보다 작은 행성	지구 크기보다 큰 행성
수성, 금성, 화성	목성, 토성, 천왕성, 해왕성

★더 알아보기 태양과 달의 크기가 비슷하게 보이는 이유

태양과 달은 지구에서 볼 때 거의 비슷한 크기로 보인다. 그러나 실제 태양의 반지름은 지구 반지름의 약 109배나 크고, 달의 반지름은 지구 반지름의 $\frac{1}{4}$ 정도로 작다. 그런데도 태양과 달이 비슷한 크기로 보이는 이유는 태양은 지구에서 아주 멀리 떨어져 있고, 달은 가까이 있기 때문이다. 거리가 멀어지면 물체는 작게 보인다. 태양은 달보다 400배 정도 더 크고 400배 멀리 떨어져 있기 때문에 같은 크기로 보이고, 달이 태양을 가리는 개기 일식이 일어나기도 한다.

▲ 태양과 달

▲ 개기일식

3 태양계에서 행성까지의 거리 비교

1. 태양에서 지구까지의 거리

① 태양에서 지구까지의 거리 : 1억 5,000만 km

② 태양에서 지구까지의 거리를 교통수단을 이용하여 비교하기

- 한 시간에 4 km로 걷기 : 약 4,300년 걸린다.
- 한 시간에 300 km를 가는 고속 열차 : 약 60년 걸린다.
- 한 시간에 900 km를 가는 비행기 : 약 19년 걸린다.
- 한 시간에 70,000 km를 가는 우주 탐사선 : 약 90일 걸린다.

2. 태양에서 행성 사이의 거리 비교

① 태양에서 행성까지의 거리는 너무 멀어서 어느 정도 차이가 나는지 비교하기 어려우므로 상대적인 거리로 비교한다.

② 태양에서 지구까지의 거리(1억 5,000 km)를 1로 보았을 때 각 행성까지의 거리

행성	수성	금성	지구	화성	목성	토성	천왕성	해왕성
거리	0.4	0.7	1.0	1.5	5.2	9.5	19.2	30.0

- 태양에서 가장 가까운 행성은 ⓐ_____이고 가장 먼 행성은 ⓑ_____이다.
- 지구에서 가장 가까운 행성은 ⓒ_____이다.
- 수성, 금성, 지구, 화성은 목성, 토성, 천왕성, 해왕성에 비하면 상대적으로 태양 가까이에 있다.
- 태양에서 행성까지의 거리가 멀어질수록 행성 간의 거리 차이가 점점 ⓓ____지는 경향이 있다.

3. 지구의 위치를 기준으로 한 행성의 분류

태양으로부터의 거리가 지구보다 가까운 행성	태양으로부터의 거리가 지구보다 먼 행성
수성, 금성	화성, 목성, 토성, 천왕성, 해왕성

개념 더하기

● 행성까지의 거리 단위

지구는 타원 궤도를 따라 돌고 있기 때문에 지구와 태양 사이의 거리는 약간씩 달라진다. 지구의 궤도를 완전한 원으로 표시하였을 때 지구와 태양 간의 거리를 1 천문단위(AU:astronomical unit)라고 한다. 1 천문단위는 약 1억 5000만 km이다. 태양과 행성까지의 거리를 km로 표시하면 너무 큰 숫자가 되므로 천문단위를 사용한다.

● 지구의 위치와 생명체

지구는 태양으로부터 생명체가 살기에 적당한 온도를 유지할 수 있는 거리에 있다. 지구의 생물은 태양으로부터 오는 에너지를 이용하여 살아간다.

용어 풀이

상대적(서로 相, 대할 對, 과녁 的) 서로 맞서거나 비교되는 관계에 있는 것

정답

ⓐ 수성 ⓑ 해왕성 ⓒ 금성 ⓓ 커

개념기르기

신유형

01 다음 중 태양이 소중한 까닭으로 옳지 않은 것은 어느 것입니까? (　　)

① 물의 순환에 영향을 준다.
② 식물이 영양분을 만드는 데 필요하다.
③ 지구상의 생물은 태양의 영향을 받지 않는다.
④ 우리가 살아가는 데 필요한 에너지를 제공해 준다.
⑤ 생물이 살아가는 데 알맞은 온도를 유지해 준다.

02 다음 중 태양계를 이루고 있는 구성원에 대한 설명으로 옳은 것을 모두 고르세요. (　,　)

① 태양계에는 아홉 개의 행성이 있다.
② 위성, 소행성, 혜성도 태양계의 구성원이다.
③ 지구처럼 태양 주위를 돌고 있는 천체를 위성이라고 한다.
④ 태양은 태양계의 중심이기 때문에 태양계의 구성원이 아니다.
⑤ 행성은 스스로 빛을 내지 못하고 태양 빛을 반사하여 밝게 보인다.

03 다음 중 태양계 행성의 특징을 바르게 설명한 것은 어느 것입니까? (　　)

① 화성은 고리를 가지고 있다.
② 목성과 토성만 위성을 가지고 있다.
③ 수성과 금성은 위성을 가지고 있지 않다.
④ 목성, 토성, 천왕성, 해왕성의 표면 물질은 암석이다.
⑤ 수성, 금성, 지구, 화성의 표면 물질은 암석이 아니다.

04 다음 중 태양계에서 가장 큰 행성은 어느 것입니까? (　　)

①
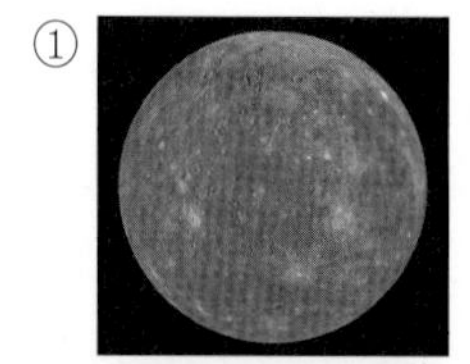

②

③

④

⑤
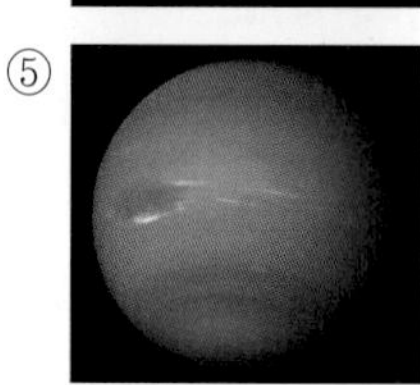

05 다음 중 행성 주위를 돌고 있는 천체로 옳은 것은 어느 것입니까? (　　)

① 태양　② 행성　③ 소행성
④ 위성　⑤ 혜성

06 다음 중 태양계 행성의 특징을 바르게 설명한 것이 아닌 것은 어느 것입니까? (　　)

① 수성은 밤과 낮의 온도 차이가 크고 표면에 운석 구덩이가 많다.
② 금성은 두꺼운 구름으로 덮여 있어 행성 중 가장 밝게 보인다.
③ 지구는 태양계 행성 중 유일하게 표면에 물이 있고 생물이 존재한다.
④ 목성은 태양계 행성 중 가장 크고, 태양계에서 가장 아름다운 고리가 있다.
⑤ 해왕성은 표면 물질이 기체로 되어 있고 파란색으로 보이지만 맨눈으로는 볼 수 없다.

중요

07 다음 중 태양계 행성의 크기에 대한 설명으로 옳은 것은 어느 것입니까? (　　)

행성	수성	금성	지구	화성
상대적인 크기	0.38	0.95	1.00	0.53
행성	목성	토성	천왕성	해왕성
상대적인 크기	11.21	9.45	4.01	3.88

① 수성은 지구보다 크기가 크다.
② 토성은 목성보다 크기가 크다.
③ 천왕성은 지구보다 크기가 작다.
④ 지구와 크기가 가장 비슷한 행성은 화성이다.
⑤ 수성, 금성, 지구, 화성은 행성 중에서 크기가 작은 편에 속한다.

08 다음 중 태양계에서 가장 작은 행성과 가장 큰 행성이 순서대로 바르게 짝지어진 것은 어느 것입니까? (　　)

① 화성 – 금성　② 수성 – 목성
③ 목성 – 토성　④ 지구 – 천왕성
⑤ 수성 – 토성

09 다음 중 행성을 다음과 같이 분류한 기준으로 옳은 것은 어느 것입니까? (　　)

수성, 금성, 화성	목성, 토성, 천왕성, 해왕성

① 물이 있는 행성과 없는 행성
② 지구보다 큰 행성과 작은 행성
③ 위성이 있는 행성과 없는 행성
④ 태양보다 크기가 큰 행성과 작은 행성
⑤ 태양으로부터 거리가 지구보다 가까운 행성과 먼 행성

10 다음은 태양에서 행성까지의 상대적인 거리를 나타낸 것이다. 이를 통해 알 수 있는 사실로 옳지 않은 것은 어느 것입니까? (　　)

행성	수성	금성	지구	화성
상대적인 거리	0.4	0.7	1.0	1.5
행성	목성	토성	천왕성	해왕성
상대적인 거리	5.2	9.5	19.2	30.0

① 태양에서 가장 먼 행성은 해왕성이다.
② 태양에서 가장 가까운 행성은 수성이다.
③ 지구에서 가장 가까운 행성은 금성이다.
④ 지구에서 가장 멀리 있는 행성은 수성이다.
⑤ 태양에서 멀어질수록 행성 간의 거리 차이가 커진다.

11 다음 중 태양에서 가까운 순서대로 행성을 나열한 것으로 옳은 것은 어느 것입니까? (　　)

① 수성 – 목성 – 지구
② 금성 – 지구 – 화성
③ 목성 – 토성 – 수성
④ 해왕성 – 수성 – 금성
⑤ 해왕성 – 천왕성 – 토성

신유형

12 다음 중 행성을 다음과 같이 분류한 기준으로 옳은 것은 어느 것입니까? (　　)

수성, 금성	화성, 목성, 토성, 천왕성, 해왕성

① 물이 있는 행성과 없는 행성
② 지구보다 큰 행성과 작은 행성
③ 대기가 있는 행성과 없는 행성
④ 태양보다 크기가 큰 행성과 작은 행성
⑤ 태양으로부터 거리가 지구보다 가까운 행성과 먼 행성

서술형으로 다지기

손에 잡히는 문제 해결

태양이 우리에게 주는 것은 무엇인가요?

▼

태양이 사라지면 지구의 온도는 어떻게 될까요?

▼

태양이 사라지면 생물은 어떻게 될까요?

01 태양은 우리 생활에 매우 중요한 역할을 합니다. 태양 활동이 멈추거나 태양이 사라졌을 때 나타날 수 있는 현상 세 가지를 그렇게 생각한 이유와 함께 적어보세요.

손에 잡히는 문제 해결

여러 가지 과일과 씨앗으로 태양계 행성 모형을 만들 때 고려해야 할 점은 무엇인가요?

▼

태양계 행성 중 수성의 크기는 어떠한가요?

▼

태양계 행성 중 목성의 크기는 어떠한가요?

02 과일과 씨앗을 이용하여 태양계 행성 모형을 만들려고 합니다. 여러 가지 과일과 씨앗 중 수성과 목성을 표현하기에 가장 알맞은 것을 고르고, 그 이유를 적어보세요.

▲ 팥 ▲ 배 ▲ 방울토마토 ▲ 대추 ▲ 사과

▲ 수박 ▲ 멜론 ▲ 검은콩

03 다음은 태양에서 지구까지의 거리를 1이라고 할 때, 나머지 행성들과 태양 사이의 상대적인 거리를 나타낸 표입니다. 각 행성이 태양 주위를 한 바퀴 회전하는 데 걸리는 시간을 태양에서 행성까지의 상대적인 거리와 관련지어 적어보세요.

행성	수성	금성	지구	화성	목성	토성	천왕성	해왕성
상대적인 거리	0.4	0.7	1.0	1.5	5.2	9.5	19.2	30.0

손에 잡히는 문제 해결

행성이 태양 주위를 한 바퀴 회전하는 운동을 무엇이라고 하나요?

태양계 내 행성은 어떻게 배열되어 있나요?

행성이 한 바퀴 회전하는 데 걸리는 시간에 영향을 미치는 요인은 무엇인가요?

04 현재 행성 중 유일하게 지구에만 생명체가 존재합니다. 지구 온난화, 빙하기와 같은 살인적인 기상이변, 혜성 충돌과 같은 재앙으로 인해 지구가 아닌 다른 외계의 천체 환경을 사람이 살 수 있도록 변화시키는 것을 테라포밍이라고 합니다. 현재까지 테라포밍의 유력한 후보는 화성입니다. 화성의 특징을 바탕으로 화성에 생명체가 살 수 있도록 바꿀 수 있는 방법을 적어보세요.

[화성의 특징]
- 지구 크기의 절반 정도이며, 평균 온도는 약 −60 ℃이다.
- 화성의 하루는 약 24시간 30분이며, 계절의 변화가 있다.
- 대기가 지구의 1 % 정도이며 주로 이산화 탄소이다.
- 극지방에 드라이아이스로 이루어진 극관이 있다.

화성의 특징은 무엇인가요?

생명체는 어떤 환경에서 살 수 있나요?

화성의 환경을 어떻게 바꾸면 생명체가 살 수 있을까요?

화성 테라포밍

융합사고력 키우기

STEAM
- [x] Science
  - ▶ 태양계
- [ ] Technology
- [x] Engineering
  - ▶ 우주 탐사선
- [ ] Art
- [ ] Mathematics

태양계 밖에는 무엇이 있을까?

1972년 3월 2일 지구를 출발한 파이어니어 10호는 이듬해 인류 최초로 목성에 근접했다. 파이어니어 10호가 목성에 무사히 도달할 수 있었던 것은 5만 개나 되는 소행성 무리를 무사히 피하는 행운 덕분이었다. 화성과 목성 사이에는 크고 작은 소행성들로 이뤄진 소행성대가 있는데, 1960년대까지 과학자들은 이곳에서 약 3,000개의 소행성을 확인했다. 그러나 실제로는 소행성이 5만 개나 있었고 미국 항공우주국(NASA) 연구진이 이 소행성들의 궤도를 모두 알아내지 못했기 때문에, 그저 행운만을 바랄 수밖에 없었다. 목성에 13만 km까지 근접하는 데 성공한 파이어니어 10호는 탐사선 최초로 수많은 목성의 컬러 사진을 보내왔다.

파이어니어에 이어 보이저 1, 2호는 1977년에 16일 간격으로 각각 발사됐다. 둘은 목성과 토성까지 비슷하게 날아가다가 1호는 바로 태양계 밖으로 향했고, 2호는 천왕성과 해왕성을 차례로 관측한 뒤 1호의 뒤를 따랐다. 초속 17 km로 비행하는 보이저 1호는 사람이 만든 물체 중 지구에서 가장 멀리 떨어져 있다. 2012년 8월에 태양권계면을 통과하여 성간 공간에 진입했고, 현재 태양풍과 성간 매질 입자를 관측하고 있다.

보이저 1호

용어 풀이

- **소행성(작을 小, 다닐 行, 별 星)** 화성과 목성 사이의 궤도에서 태양의 둘레를 공전하는 작은 행성
- **태양권계면(heliosheath, 헬리오시스)** 태양권과 외부 우주 공간의 경계 지점
- **태양풍(클 太, 볕 陽, 바람 風)** 태양으로부터 고속으로 방출되는 고에너지 입자들의 흐름
- **성간매질(별 星, 사이 間, 중매 媒, 바탕 質)** 별과 별 사이의 비어 있는 공간에 존재하는 물질
- **집약(모을 集, 묶을 約)** 한 곳으로 모아서 묶은 물질

1 파이어니어호나 보이저호와 같은 우주 탐사선을 우주로 보내는 이유를 적어보세요.

2 장거리 우주 탐사의 원동력은 '방사성 동위원소 활용 전력공급장비(RTG)'입니다. 일반적인 우주선은 태양 에너지를 원동력으로 사용하지만, 화성을 넘어서면 방사성 물질을 쓸 수밖에 없습니다. 그 이유를 적어보세요.

•

•

손에 잡히는 STEAM

우주선이 태양 에너지를 원동력으로 사용하는 이유는 무엇인가요?

▼

화성을 넘어서면 환경이 어떻게 달라지나요?

▼

장거리 우주 탐사선의 주동력원이 RTG인 이유는 무엇인가요?

논술형

3 지구 주변에서 움직이는 탐사선이나 인공위성 등은 상황에 따라 실시간으로 대처할 수 있지만, 거리가 멀어지면 즉각적인 대응이 불가능하기 때문에 장거리 우주 탐사선은 스스로 문제를 해결할 수 있는 기능을 갖추고 있습니다. 소형 승용차보다 작은 우주선에 원자로와 각종 과학 측정 기기 및 통신 기기를 설치하는 기술은 오늘날 하드웨어와 소프트웨어의 집약 기술을 발전시키는 데 크게 공헌했습니다. 이처럼 우주 탐사 연구로 개발된 기술 중 우리 생활에 편리함을 준 것을 두 가지 적어보세요.

•

•

우주 기술

우주 탐사를 위해 개발된 기술에는 무엇이 있나요?

▼

우주 탐사를 위해 개발된 기술들은 어떻게 사용되고 있나요?

▼

우주 탐사를 위해 개발된 기술 중 우리 생활에 편리함을 준 물건에는 무엇이 있나요?

밤하늘에서 볼 수 있는

04 별과 별자리

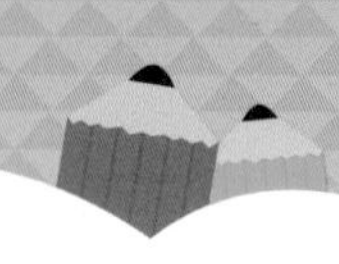

1 별과 별자리

1. 별

① 태양과 같이 스스로 ⓐ____ 을 내는 천체

② 지구에서 매우 멀리 떨어져 있기 때문에 태양처럼 밝게 보이지 않는다.

2. 별자리

① ⓑ________ : 하늘의 별을 무리 지어 신화에 나온 동물이나 인물 등의 이름을 붙여 놓은 것

② 별자리의 종류

▲ 북두칠성

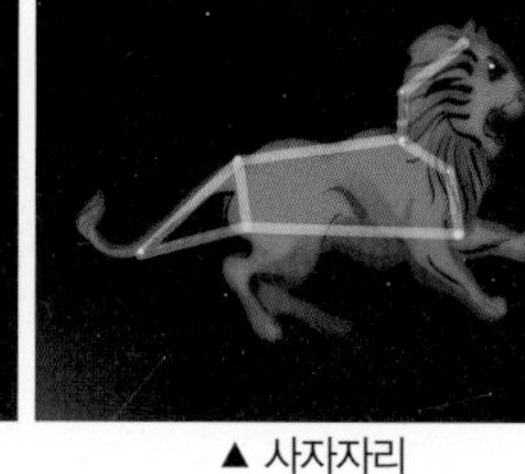
▲ 사자자리

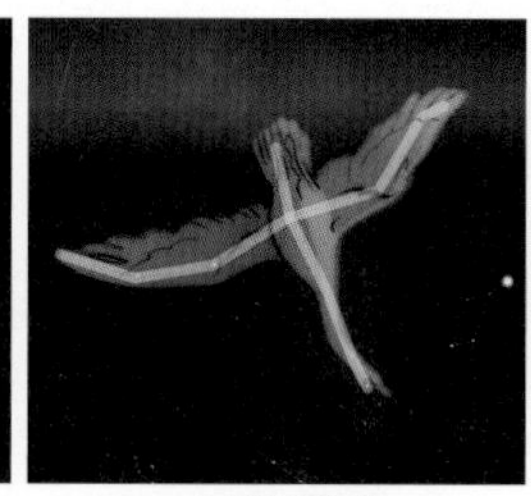
▲ 백조자리

▲ 오리온자리

3. 나만의 별자리 만들기

① 별자리 이름 : 상어자리

② 별자리 이야기 : 바다의 포식자 상어가 바다에 사는 물고기들을 괴롭혀 바다의 신이 상어에게 경고하였다. 그러나 시간이 지나도 상어의 나쁜 행동이 고쳐지지 않자, 상어를 번쩍 들어 올려 밤하늘로 올려 보냈다.

③ 내가 만든 별자리가 널리 사용되기 어려운 까닭 : 다른 사람들이 내가 만든 별자리를 모르기 때문이다.

● 현재 사용하고 있는 별자리

- 현재 우리가 사용하고 있는 별자리는 88개이다.
- 서양의 그리스 시대에 만들어진 것으로, 대부분의 별자리와 이름은 그리스 신화에 나오는 동물이나 인물 등의 이름을 붙여 사용한다.

● 별자리 이름

- 동물의 모양과 비슷한 별자리 : 작은곰자리, 사자자리, 백조자리
- 신화에 나오는 이름을 딴 별자리 : 오리온자리, 카시오페이아자리

용어 풀이

신화(신 神, 이야기 話)
신비스러운 이야기

ⓐ 빛 ⓑ 별자리

2 북쪽 하늘의 별자리

1. 북쪽 하늘에서 볼 수 있는 별자리 : 북두칠성, 작은곰자리, 카시오페이아자리

▲ 북두칠성

▲ 작은곰자리

▲ 카시오페이아자리

2. 북극성

① 1년 내내 북쪽 하늘에서 빛나고 있으며 움직이지 않는다.

② ⓐ____ 쪽을 알려주는 나침반 역할을 한다.

③ 작은곰자리 꼬리 부분에 있는 별이다.

3. 북두칠성과 카시오페이아자리를 이용하여 북극성 찾기

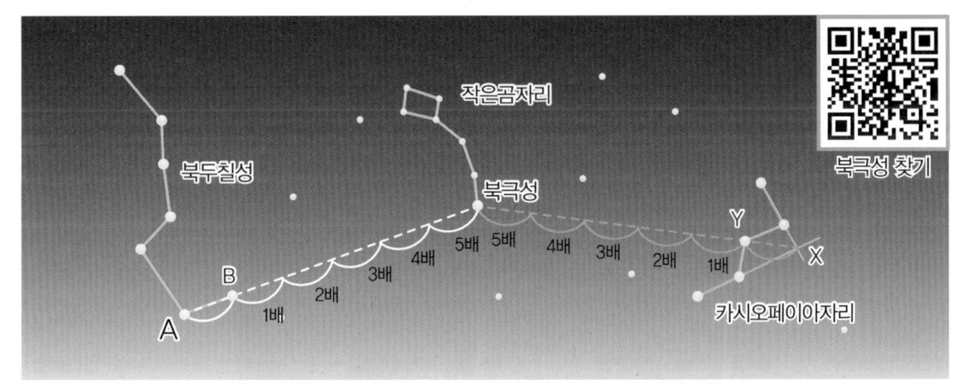

① 북쪽 하늘에서 북두칠성이나 카시오페이아자리를 찾는다.

② 북두칠성에서 A와 B 사이 거리의 ⓑ____ 배 되는 곳에 있는 별이 북극성이다.

③ 카시오페이아자리에서 X와 Y 사이 거리의 ⓒ____ 배 되는 곳에 있는 별이 북극성이다.

4. 옛날 사람들이 별자리를 만들어 사용한 이유

① ⓓ____을 쉽게 찾기 위해서이다.

② 밤하늘의 별을 쉽게 찾고 별의 위치를 쉽게 기억하기 위해서이다.

5. 북극성을 이용하여 방위 찾기

밤하늘에서 북극성을 바라보고 서서 양팔을 벌리면 오른손이 가리키는 방향이 동쪽, 왼손이 가리키는 방향이 서쪽, 등 뒤의 방향이 남쪽이다.

개념 더하기

● **북두칠성과 카시오페이아자리**
- **북두칠성** : 7개의 별로 이루어진 국자 모양을 닮은 별자리로, 큰곰자리의 꼬리 부분에 해당된다.
- **카시오페이아자리** : 5개의 별로 이루어진 W 또는 M 모양의 별자리

● **별자리를 관찰하기 좋은 장소**
- 밝은 불빛이 없는 곳
- 시야가 넓은 곳

● **하루 동안 별자리의 운동**

지구의 자전 때문에 북쪽 하늘 근처의 별자리는 하루 동안 북극성을 중심으로 시계 반대 방향으로 한 바퀴 회전한다. 따라서 우리가 볼 수 있는 별자리의 위치는 관측하는 시각에 따라 다르다.

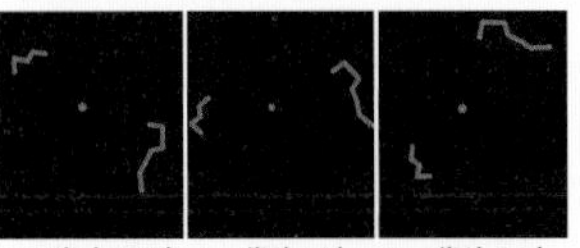
▲ 저녁 10시 ▲ 새벽 1시 ▲ 새벽 3시

용어 풀이

북극성(북쪽 北, 다할 極, 별 星) 작은곰자리에서 가장 밝은 별로, 지구에서 볼 때 움직이지 않는 별이다.

ⓐ 북 ⓑ 다섯 ⓒ 다섯 ⓓ 방위

04 별과 별자리

개념 더하기

● **밤하늘에서 별과 행성 구분하기**

- 행성은 하늘에 있는 많은 별과 다르게 망원경으로 보면 크게 확대되어 작은 원반같이 둥글게 보인다.
- 행성은 별들처럼 깜빡이지 않고 작은 전구에 불이 들어온 것과 같이 보인다.
- 한두 달이 지난 후 밤하늘을 살펴보면 다른 별들은 모두 제자리에 있지만, 행성들은 태양 주위를 공전하기 때문에 위치가 변한다.

용어 풀이

인공위성(사람 人, 장인 工, 거짓 僞, 별 星)
행성 둘레를 돌도록 로켓을 이용하여 쏘아 올린 인공 장치

정답
ⓐ 빛 ⓑ 반사 ⓒ 이동
ⓓ 화성 ⓔ 별 ⓕ 행성

3 행성과 별

1. 밤하늘에서 볼 수 있는 것

① 밤하늘에서 볼 수 있는 것 : 별, 달, 인공위성, 행성 등

② 행성과 별의 비교

공통점	밝게 빛나 보인다.
차이점	• 별은 스스로 ⓐ____을 내지만, 행성은 스스로 빛을 내지 못하고 태양 빛을 ⓑ____하여 밝게 보인다. • 별(태양 제외)은 태양계를 벗어난 먼 우주에 있지만, 행성은 태양계 내에 있다. • 행성은 별보다 반짝임이 덜하다. • 금성과 목성은 밝기가 밝은 어떤 별보다 더 밝다.

2. 행성과 별의 차이점

★탐구 행성과 별의 차이점 알아보기

탐구 과정

① 여러 날 동안 남쪽 밤하늘을 관측하고 천체의 위치를 표시한다.
② 투명 필름에 여러 날 동안 관측한 밤하늘의 천체 위치를 각각 다른 색의 펜으로 표시한다.
③ 투명 필름을 순서대로 모두 겹쳐 보고 천체의 위치를 확인한다.

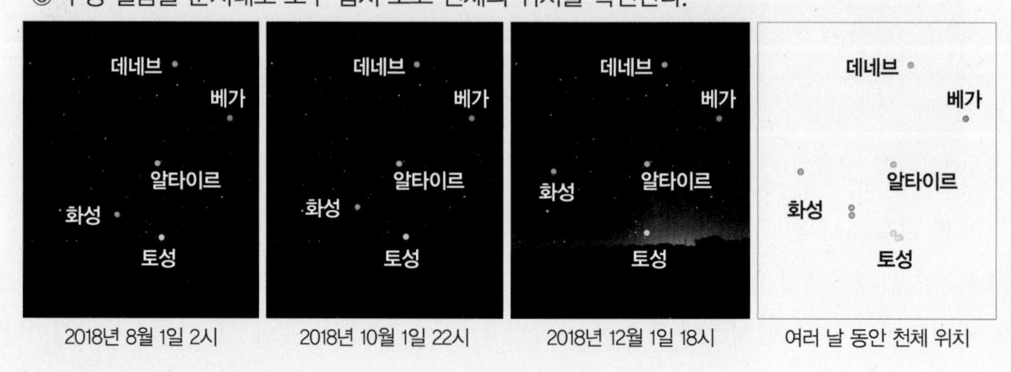

2018년 8월 1일 2시 / 2018년 10월 1일 22시 / 2018년 12월 1일 18시 / 여러 날 동안 천체 위치

탐구 결과 및 결론

① 데네브, 베가, 알타이르는 거의 움직이지 않는다.
② 화성과 토성은 별자리 사이를 조금씩 ⓒ____한다.
③ ⓓ____이 토성보다 더 많이 이동한다.
④ ⓔ____은 움직이지 않고 ⓕ____은 별자리 사이를 조금씩 이동한다.

3. 밤하늘에서 행성과 별

① ⓐ____ : 지구에서 매우 먼 거리에 있어서 여러 날 동안 같은 밤하늘을 관측하면 움직이지 않는 것처럼 보인다.

② ⓑ____ : 지구에 가까이 있기 때문에 별자리 사이에서 서서히 위치가 변한다.

③ 금성, 화성, 목성, 토성과 같은 행성은 별보다 더 밝고 또렷하게 보인다.

④ 천왕성과 해왕성은 너무 멀리 있어서 맨눈으로는 보이지 않는다.

4 우주 교실 꾸미기

1. 우주 교실을 꾸밀 때 고려해야 할 점

① 행성 모형과 별자리 모형을 만들 때 어떤 재료를 사용하면 좋을까?

② 행성 모형과 별자리 모형의 크기는 어느 정도가 적당할까?

③ 실제 행성이나 별처럼 보이게 하려면 어떻게 해야 할까?

④ 행성 모형 사이의 거리는 어느 정도가 적당할까?

⑤ 별자리를 이루는 각 별 모형 사이의 거리는 어느 정도가 적당할까?

⑥ 행성 모형이나 별자리 모형을 우주 교실에 어떻게 붙일까?

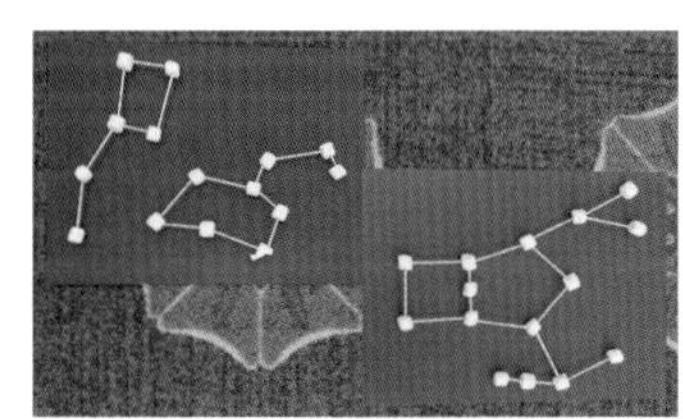

★생활 속 과학 밤하늘에서 쉽게 찾을 수 있는 행성

- 계절과 관계없이 밤하늘에서 한두 개의 밝은 행성을 찾아볼 수 있다. 고대로부터 알려진 다섯 개의 행성(수성, 금성, 화성, 목성, 토성)은 어떤 별보다도 더 밝게 보이기 때문에 언제 어디서 나타나는지만 알고 있다면 도시에서도 관측할 수 있다.
- 목성과 금성은 밤하늘에서 매우 밝게 빛나므로, 주변 별자리를 찾지 못하더라도 방위를 확인하고 가장 밝게 빛나는 천체를 찾으면 쉽게 찾을 수 있다.
- 금성은 해가 지고 난 직후에 서쪽 하늘과 해가 뜨기 전에 동쪽 하늘에서 볼 수 있다.

개념 더하기

● 행성과 별의 움직임

밤하늘의 별자리를 관찰해 보면 대부분의 별은 하늘에 붙어 있는 것처럼 서로의 위치 관계나 간격이 변하지 않는 것으로 보인다. 이러한 천체들을 별(항성)이라고 한다. 항성과는 달리, 하늘에서의 위치가 일정하지 않고 끊임없이 움직이는 천체들도 있다. 이러한 떠돌이 천체들을 행성이라고 부른다.

정답 ⓐ 별 ⓑ 행성

01 다음 중 별에 대한 설명으로 옳은 것은 어느 것입니까? ( )

① 별은 스스로 빛을 낸다.
② 별은 태양 빛을 반사하여 빛을 낸다.
③ 우리나라에서만 별을 볼 수 있다.
④ 태양계 내에 속한 행성들만 별자리로 볼 수 있다.
⑤ 별은 스스로 빛을 내기 때문에 낮에도 볼 수 있다.

02 다음 중 별자리에 대한 설명으로 옳은 것을 모두 고르세요. (,)

① 서양과 동양은 같은 별자리 이름을 사용한다.
② 밤하늘에서 잘 보이는 별을 연결하여 만들었다.
③ 크기와 밝기가 같은 별을 다섯 개씩 연결한 것이다.
④ 매일 별자리의 위치가 바뀌므로 별의 위치를 기억하기 어렵다.
⑤ 서양에서는 별자리에 신화에 나오는 동물이나 인물 등의 이름을 붙였다.

중요

03 다음 중 북쪽 하늘에서 볼 수 있는 별과 별자리에 대한 설명으로 옳지 않은 것은 어느 것입니까? ( )

① 북극성의 위치로 방위를 알 수 있다.
② 북극성은 1년 내내 북쪽 하늘에서 볼 수 있다.
③ 북두칠성과 카시오페이아자리의 위치는 항상 같다.
④ 북두칠성은 일곱 개의 별로 이루어져 있으며, 국자 모양을 닮았다.
⑤ 카시오페이아자리는 다섯 개의 별로 이루어져 있으며, W자 또는 M자 모양을 닮았다.

04 다음 ( ) 안에 들어갈 말로 옳은 것은 어느 것입니까? ( )

( )은 일 년 내내 북쪽 하늘에서 빛나며, 거의 움직이지 않고 같은 자리에 있기 때문에 예로부터 방위를 알려주는 나침반 역할을 하였다.

① 별자리 ② 북극성
③ 북두칠성 ④ 큰곰자리
⑤ 카시오페이아자리

05 북쪽 하늘에서 볼 수 있는 별과 별자리가 아닌 것은 어느 것입니까? ( )

① 북극성 ② 북두칠성
③ 오리온자리 ④ 작은곰자리
⑤ 카시오페이아자리

신유형

06 다음은 북쪽 하늘에서 볼 수 있는 별과 별자리를 나타낸 것입니다. 다음 중 ㉠ ~ ㉢의 이름을 바르게 짝지은 것은 어느 것입니까? ( )

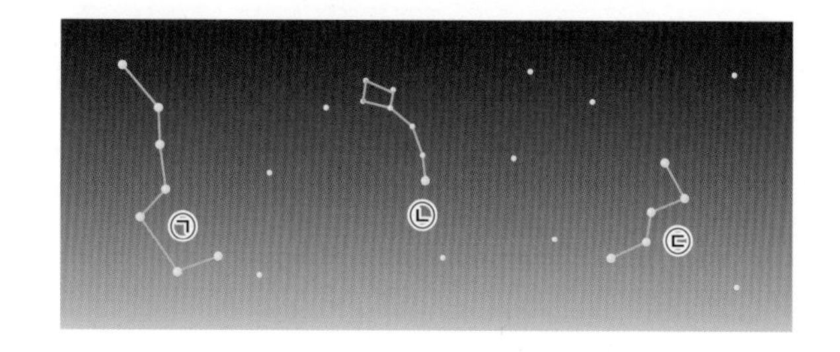

	㉠	㉡	㉢
①	카시오페이아자리	북극성	북두칠성
②	북두칠성	카시오페이아자리	북극성
③	북두칠성	북극성	카시오페이아자리
④	북극성	북두칠성	카시오페이아자리
⑤	북극성	카시오페이아자리	북두칠성

중요

07 다음 중 북극성을 찾는 방법을 설명한 것으로 옳은 것은 어느 것입니까? ( )

① ㉠과 ㉡ 사이 거리의 네 배가 되는 곳에서 별을 찾는다.
② 밤하늘에서 W 또는 M자 모양의 북두칠성을 찾으면 북극성을 찾을 수 있다.
③ 밤하늘에서 국자 모양의 카시오페이아자리를 찾으면 북극성을 찾을 수 있다.
④ 북두칠성의 국자 모양 끝부분의 별 ㉢과 ㉣ 사이 거리의 다섯 배가 되는 곳에서 별을 찾는다.
⑤ 밤하늘에서 북두칠성과 카시오페이아자리 중 하나만 찾으면 북극성을 찾을 수 있다.

08 다음 중 태양계를 구성하는 천체 중에서 별에 해당하는 것은 어느 것입니까? ( )

① 달 ② 수성 ③ 목성
④ 태양 ⑤ 소행성

09 다음 중 밤하늘에 보이는 별과 행성의 차이점으로 옳지 않은 것은 어느 것입니까? ( )

① 별과 행성 모두 밝게 보인다.
② 행성은 별보다 반짝임이 덜 하다.
③ 금성이나 목성은 별보다 더 밝고 또렷하게 보인다.
④ 별은 지구에서 매우 먼 거리에 있지만, 행성은 지구에 가까이 있다.
⑤ 여러 날 동안 같은 밤하늘을 관측하면 별은 거의 움직이지 않지만 행성은 서서히 위치가 변한다.

10 옛날 사람들이 별자리를 만들어 사용한 이유로 옳은 것을 모두 고르세요. (,)

① 신화를 만들기 위해서이다.
② 방향을 쉽게 찾기 위해서이다.
③ 별이 계속 움직이기 때문이다.
④ 별이 갑자기 나타나거나 사라지기 때문이다.
⑤ 밤하늘의 별의 위치를 쉽게 기억하기 위해서이다.

신유형

11 다음은 여러 날 동안 같은 밤하늘을 관측하여 천체 위치를 표시한 것입니다. 다음 중 이에 대한 설명으로 옳은 것은 어느 것입니까? ( )

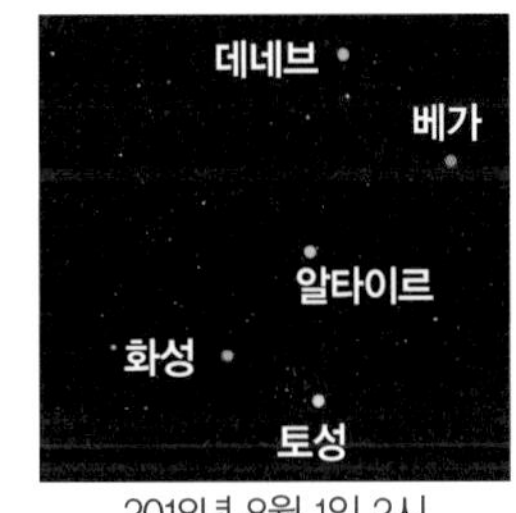

2018년 8월 1일 2시 2018년 10월 1일 22시

① 별은 위치가 변한다.
② 화성은 위치가 변한다.
③ 베가는 위치가 변한다.
④ 토성은 위치가 변하지 않는다.
⑤ 행성은 위치가 변하지 않는다.

12 다음 중 우주 교실 꾸미기를 할 때, 고려해야 할 사항으로 적절하지 않은 것은 어느 것입니까? ( )

① 행성 모형을 우주 교실에 어떻게 붙일까?
② 행성 모형의 크기는 어느 정도가 적당할까?
③ 행성 모형에서 어떻게 빛이 나게 할까?
④ 별자리 모형을 만들 때 어떤 재료를 사용하면 좋을까?
⑤ 행성 모형을 실제처럼 보이게 하려면 어떻게 해야 할까?

서술형으로 다지기

손에 잡히는 문제 해결

①과 ②가 포함된 별자리의 이름은 무엇인가요?

▼

㉡이 포함된 별자리의 이름은 무엇인가요?

▼

(가)의 이름은 무엇인가요?

01 다음은 북쪽 하늘에서 볼 수 있는 별자리를 나타낸 것입니다. (가)의 이름과 주변 별자리를 이용하여 (가)를 찾을 수 있는 방법을 그림으로 나타내고, 그 방법을 적어보세요.

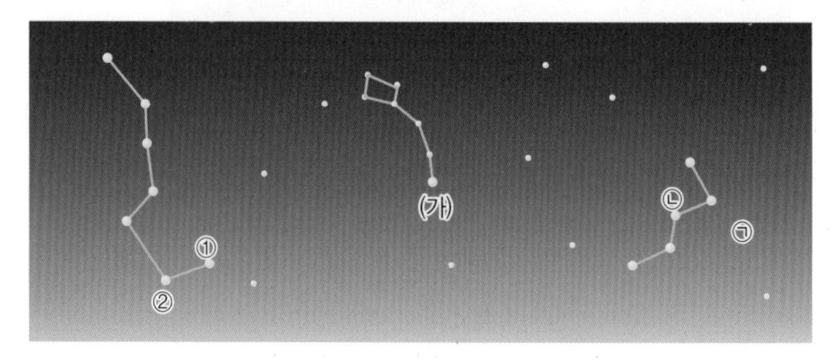

(1) (가)의 이름 :

(2) (가)를 찾을 수 있는 방법 :

손에 잡히는 문제 해결

하루 동안 별은 어떻게 움직이나요?

▼

매일 밤 같은 별자리를 볼 수 있나요?

▼

북극성은 언제, 어느 곳에서 관측할 수 있나요?

02 요즘은 나침반이나 내비게이션을 이용하면 쉽게 길을 찾을 수 있지만, 이러한 것들이 없던 옛날에는 별자리나 북극성을 이용하여 길을 찾았습니다. 길을 찾을 때 별자리나 북극성을 이용한 까닭을 적어보세요.

▲북쪽 하늘에서 하룻밤 동안 관찰한 별의 운동

03 밤하늘을 보면 비행기, 인공위성, 별, 행성 등 다양한 천체를 볼 수 있습니다. 이중 비행기와 인공위성은 밝은 불빛을 내며 일정한 속도로 움직이므로 쉽게 구별할 수 있습니다. 별과 행성은 밝기와 깜박이는 정도로 구별할 수 있습니다. 별과 행성을 구별할 수 있는 방법을 적어보세요.

손에 잡히는 문제 해결

밤하늘에서 별이 밝게 보이는 이유는 무엇인가요?

밤하늘에서 행성이 밝게 보이는 이유는 무엇인가요?

별과 행성은 지구로부터 얼마나 떨어져 있을까요?

04 대도시에서는 밤하늘의 별을 관측하기 힘듭니다. 별을 관측할 수 있는 천문대는 대부분 도시에서 떨어진 산 위에 있으며, 심지어 우주에 망원경을 설치하기도 합니다. 망원경을 우주에 설치하는 이유를 적어보세요.

▲ 대도시에서 본 북쪽 하늘

▲ 천문대에서 본 북쪽 하늘

손에 잡히는 문제 해결

대도시에서 별을 관측하기 힘든 이유는 무엇일가요?

지구에서 별을 관측할 때 방해하는 요소는 무엇인가요?

우주와 지구의 다른 점은 무엇인가요?

융합사고력 키우기

- [x] Science
  - ▶ 별과 은하
- [x] Technology
  - ▶ 은하의 충돌
- [ ] Engineering
- [ ] Art
- [x] Mathematics
  - ▶ 확률

안드로메다 은하

가을 초저녁 동쪽 하늘에 보이는 별자리 중 안드로메다자리가 있다. 그리고 그 주위에는 맨눈으로 볼 수 있는 가장 먼 거리에 있는 천체인 안드로메다 은하가 있다. 안드로메다 은하는 우리은하와 가까운 은하 중의 하나로, 자매 은하로 불린다. 안드로메다 은하는 우리은하보다 약 2배가량 크고 나선팔 구조를 가진 나선 은하로 우리은하와 생긴 모습이 비슷하다. 그러나 그것은 겉모양일 뿐이고 내용은 전혀 그렇지가 않다. 안드로메다 은하의 별들의 운동을 연구한 결과, 우리은하가 평온을 유지하는 것과는 대조적으로 무척 혼란스러운 상태인 것으로 드러났다. 하지만 연구진들은 대부분의 은하가 이러한 혼란스러운 움직임을 보이며, 우리가 살고 있는 우리은하의 안정적인 상태가 오히려 이례적이라고 이야기한다.

안드로메다 은하가 비록 이웃 은하라고는 하지만, 우리와 250만 광년이나 떨어진 곳에 있다. 재미있는 사실은 안드로메다 은하와 우리은하와의 충돌이 예약되어 있다는 것이다. 현재 두 은하는 시간당 40만 km 속도로 접근하고 있다. 40만 km라면 지구와 달 사이의 거리이다. 이 속도라면 약 37억 5000만 년 후에 두 은하가 충돌한다는 계산이 나온다. 만약 그때까지 지구에 인류가 생존해 있다면 지금의 밤하늘과는 전혀 다르게 하늘의 반을 덮고 있는 은하를 보게 될 것이다.

은하 충돌 ①

▲ 지구에서 본 안드로메다 은하와 우리은하의 충돌 전 가상 모습
안드로메다 은하(왼쪽), 우리은하(오른쪽)

용어 풀이

- **은하(은 銀, 물 河)**
  밤하늘에서 볼 수 있는 수많은 별들의 무리
- **이례(다를 異, 경우 例)**
  특이한 예
- **나선 은하(소라 螺, 돌 旋, 은 銀, 물 河)**
  공 모양의 중심부와 그 주위에 나선 모양의 팔이 감겨진 것처럼 보이는 은하
- **타원 은하(길고 둥글 橢, 둥글 圓, 은 銀, 물 河)**
  별이 공 모양이나 타원 모양으로 분포한 은하

1 안드로메다 은하와 우리은하의 공통점을 적어보세요.

2 은하는 수천억 개의 별이 모여있는 집단입니다. 태양계가 포함되어 있는 우리은하를 위에서 보면 나선팔 구조를 가진 나선 은하입니다. 우리은하의 전체 모습은 인간의 상상으로 그린 그림으로만 확인할 수 있습니다. 우리은하의 전체 모습을 볼 수 없는 이유를 적어보세요.

▲ 우리은하의 모습

손에 잡히는 STEAM

- 은하는 무엇인가요?
- ▼ 우리은하의 크기는 얼마나 되나요?
- ▼ 우리은하의 전체 모습을 보려면 어디로 가야 하나요?

논술형

3 안드로메다 은하와 우리은하는 37억 5000만 년 후에 충돌이 예상됩니다. 하지만 두 은하가 충돌하여 합쳐지더라도 지구와 다른 별이 충돌할 가능성은 거의 없습니다. 그 이유를 적어보세요.

은하 충돌 ②

- 우리은하와 안드로메다 은하의 크기는 얼마나 되나요?
- ▼ 은하에 있는 별의 수와 별들 사이의 거리는 얼마나 되나요?
- ▼ 두 은하가 충돌하여 합쳐질 경우 별들이 충돌할 가능성은 얼마나 되나요?

탐구력 키우기

태양계 행성 모형

태양계는 태양과 그 주변을 돌고 있는 행성, 소행성 그리고 혜성 등으로 이루어져 있습니다. 태양계 행성 모형을 만들면서 태양계 내 행성들이 어떻게 위치하고 있는지 알아보세요.

준비물

태양계 행성 부록 1, 2 (교재 p.105, 107), 풀 또는 셀로판테이프, 할핀

탐구 과정

태양계 행성 모형

① 태양계 행성 부록 1, 2를 뜯는다.
② 천왕성과 해왕성 공전 궤도 막대를 이어 붙인다.
③ 8개의 행성 공전 궤도 막대 끝부분에 알맞은 행성 그림을 붙인다.
④ 행성 부분을 접어 수직으로 세운다.
⑤ 행성 공전 궤도 막대 끝부분을 모두 모아 우주판 한쪽 모서리에 올리고 할핀으로 고정한다.
⑥ 행성을 돌려서 태양 주위를 공전시켜본다.

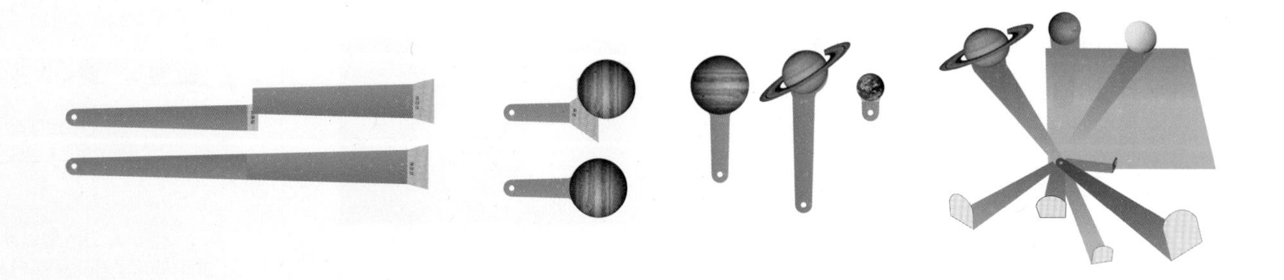

주의사항

- 천왕성과 해왕성의 공전 궤도 막대를 이어붙일 때 바뀌지 않도록 주의한다.
- 행성의 공전 궤도 막대와 행성 그림이 바뀌지 않도록 주의한다.

정답 및 해설
9쪽

1 8개의 행성들이 위치한 모습의 특징을 두 가지 적어보세요.

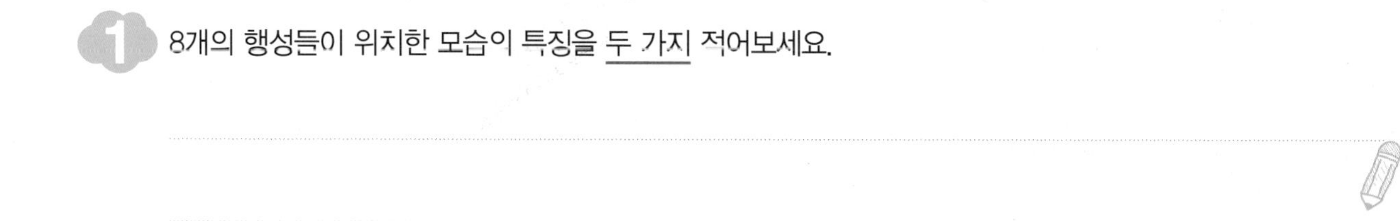

2 태양계 행성 모형을 바탕으로 일 년의 길이가 가장 긴 행성을 고르고 그 이유를 적어보세요.

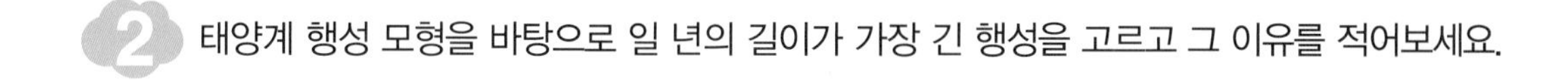

3 빛은 1초에 30만 km를 나아갑니다. 태양과 지구 사이의 거리는 1억 5,000만 km이므로, 태양을 출발한 빛은 약 8분 20초 후에 지구에 도착합니다. 태양과 해왕성 사이의 거리는 45억 km로, 지구에서 태양까지 거리의 약 30배 정도 떨어져 있습니다. 태양을 출발한 빛이 해왕성에 도착하는 데 걸리는 시간을 풀이 과정과 함께 구해보세요.

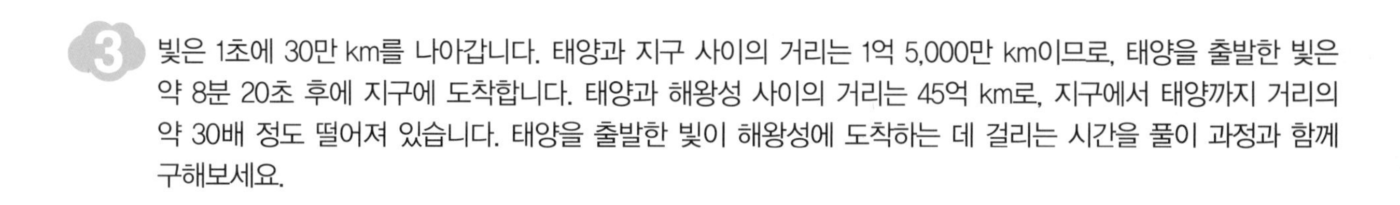

STEAM

4 태양계는 우리가 생각하는 것보다 훨씬 규모가 큽니다. 8개의 행성 끝에 있는 왜소행성으로 분류된 명왕성까지의 평균 거리는 60억 km나 되고 그 바깥에 카이퍼 벨트와 오르트 구름이 더 있습니다. 태양계의 천체들은 태양의 중력에 의해 붙들려 있습니다. 앞으로 수억 년이 지난 후 태양계의 모습을 적어보세요.

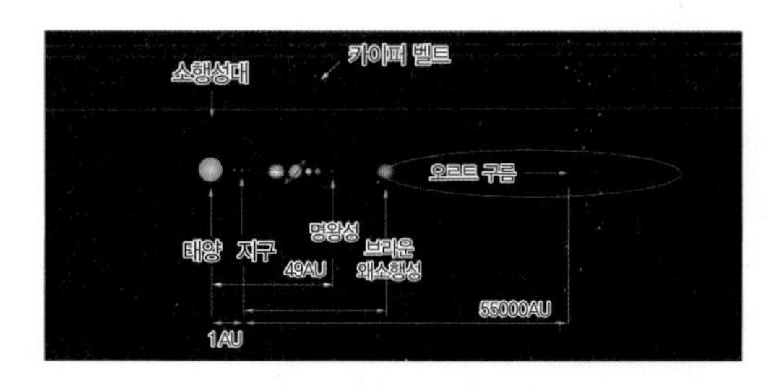

태양계

Ⅲ 용해와 용액

05 용해와 용액

06 용액의 진하기

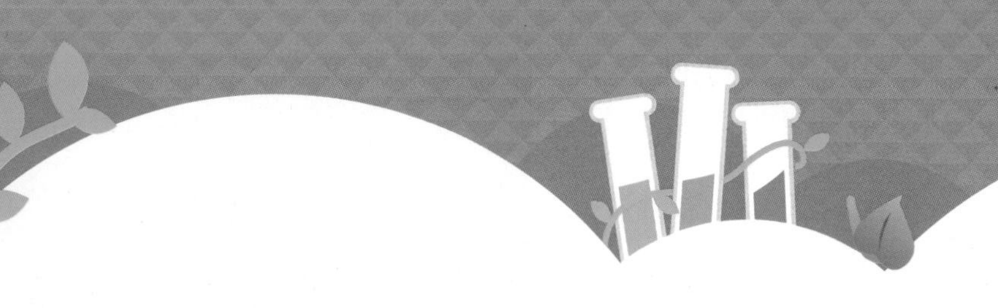

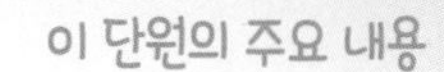

용해 현상과 용액의 개념을 이해하고,
용해 과정에 영향을 주는 요인을 알아본다.
용질의 종류와 물의 온도 등 조건을 달리하여
용해 과정을 관찰하고, 용액의 진하기를
비교하는 방법을 고안해본다.

★ 2015 개정 교육과정 교과서

초등 5~6학년 군 :
5학년 1학기 4단원 용해와 용액

★ 다른 학년과의 연계

초등 3~4학년 군 : 물질의 상태, 혼합물의 분리
초등 5~6학년 군 : 산과 염기
중학교 1~3학년 군 : 물질의 특성

용질이 용매에 골고루 섞이는

05 용해와 용액

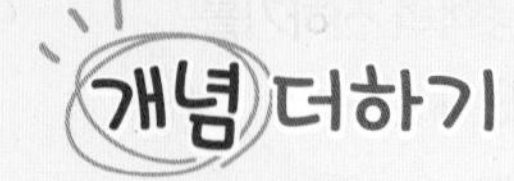

1 용해와 용액

1. 여러 가지 가루 물질을 물에 녹여보기

① 가루 물질이 녹았는지 확인하는 방법

- 가라앉은 것이 있는지 확인한다.
- 비커의 바닥이나 뒤쪽에 색깔이 있는 종이를 대본다.

② 여러 가지 가루 물질을 물에 녹여보기

탐구 여러 가지 가루 물질을 물에 녹여보기

탐구 과정

① 비커 세 개에 물을 각각 50 mL씩 담는다.
② 각 비커에 소금, 설탕, 멸치 가루를 각각 두 숟가락씩 넣고 유리 막대로 저으면서 변화를 관찰한다.
③ 10분 동안 그대로 두고 변화를 관찰한다.

탐구 결과 및 결론

① 물에 ⓐ______을 넣고 유리 막대로 저으면 다 녹지 않고 일부가 바닥에 가라앉는다.
② 물에 ⓑ______을 넣고 유리 막대로 저으면 모두 물에 녹아 보이지 않는다.
③ 물에 ⓒ____________를 넣고 유리 막대로 저으면 녹지 않고 위에 뜨거나 바닥에 가라앉는다.
④ 10분이 지난 후 소금과 설탕은 모두 물에 녹지만, 멸치 가루는 물에 녹지 않는다.
⑤ 물에 여러 가지 가루 물질을 넣으면 어떤 물질은 녹고, 어떤 물질은 녹지 않는다.

2. 용해, 용질, 용매, 용액

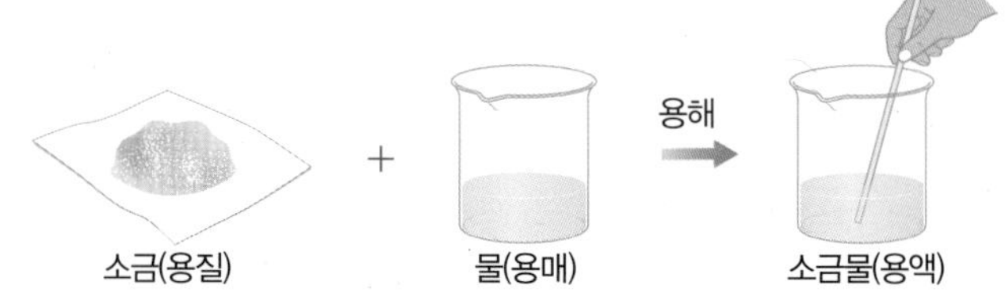

① ⓓ______ : 어떤 물질이 다른 물질에 녹아 골고루 섞이는 현상
② ⓔ______ : 소금과 같이 녹는 물질
③ ⓕ______ : 물과 같이 녹이는 물질
④ ⓖ______ : 소금물과 같이 용질이 용매에 골고루 섞여 있는 것

개념 더하기

● 용매와 용해

- 용질은 용매에 따라 녹는 정도가 다르다.
- 소금은 물에는 잘 녹지만 아세톤에는 녹지 않으며, 나프탈렌은 물에는 잘 녹지 않지만 아세톤에는 잘 녹는다.

용어 풀이

용해(녹일 鎔, 떨어질 解)
두 가지 이상의 물질이 균일하게 섞이는 현상

용질(녹일 鎔, 바탕 質)
녹는 물질

용매(녹일 鎔, 중매 媒)
녹이는 물질

용액(녹일 鎔, 진 液)
두 가지 이상의 물질이 균일하게 섞여 있는 물질

정답
ⓐ 소금 ⓑ 설탕
ⓒ 멸치 가루 ⓓ 용해
ⓔ 용질 ⓕ 용매 ⓖ 용액

3. 용액의 특성

① 오래 두어도 가라앉거나 뜨는 것이 없다.

② 거름종이로 걸러도 남는 것이 없다.

③ 어느 곳을 보더라도 용매와 용질이 섞인 정도가 같다.

4. 물질이 용해될 때의 변화

① 각설탕이 용해될 때의 변화

각설탕이 조금씩 부스러지면서 크기가 작아진다.

→ 큰 덩어리의 각설탕이 작은 설탕 덩어리로 흩어진다.

→ 작은 설탕 덩어리는 물에 용해되어 보이지 ⓐ____고 아지랑이처럼 물속에 섞인다.

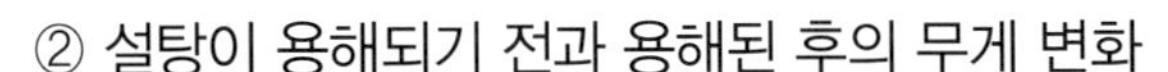

② 설탕이 용해되기 전과 용해된 후의 무게 변화

★탐구 설탕이 용해되기 전과 용해된 후의 무게 변화

탐구 과정

① 설탕이 담긴 약포지의 무게와 물이 담긴 비커의 무게를 전자저울로 각각 측정한다.

② 설탕을 물이 담긴 비커에 넣고 잘 저어 녹인다.

③ 빈 약포지와 설탕을 모두 녹인 설탕물의 무게를 측정한다.

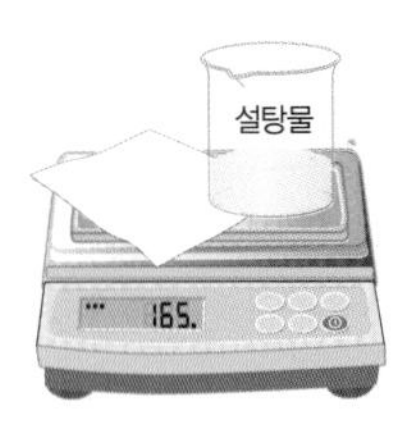

탐구 결과 및 결론

① 설탕+약포지 무게=15 g, 물+비커 무게=150 g, 설탕물+비커+약포지 무게=ⓑ____ g

② 설탕이 물에 용해되기 전과 용해된 후의 무게는 ⓒ____다.

③ 설탕은 용해되어도 물속에 골고루 섞여 들어가 그대로 남아 있다.

③ 설탕이 물에 용해되는 과정 : 매우 ⓓ____게 변해 물과 골고루 섞여 용액이 된다.

개념 더하기

● 일상생활에서 볼 수 있는 용액과 용액이 아닌 것

- 용액인 것 : 어떤 물질이 용매에 골고루 섞여 있는 것 예 렌즈 세척액, 소독약, 화장수, 식초, 링거액, 향수, 세제, 이온 음료, 구강 청정제 등
- 용액이 아닌 것 : 가라앉거나 떠 있는 물질이 있으면 용액이 아니다. 예 흙탕물, 된장국, 미숫가루 물, 갈아 만든 주스 등

● 설탕물의 증발

설탕물을 증발시키면 설탕 결정이 생긴다. 이를 통해 설탕이 용해될 때 설탕이 사라지는 것이 아니라 용액 속에 남아 있다는 것을 확인 할 수 있다.

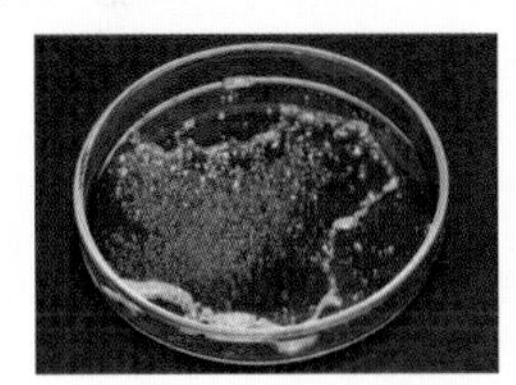

용어 풀이

아지랑이
햇빛이 강하게 쬘 때 공기가 공중에서 아른아른 움직이는 현상

정답

ⓐ 않 ⓑ 165 ⓒ 같
ⓓ 작

05 용해와 용액

● 일정한 양의 용매에 용해되는 용질의 양이 일정한 까닭

물에 용질이 들어오면 물과 용질이 서로 끌어당기는 힘에 의해 용질이 녹는다. 물의 양이 일정할 때 용질을 많이 넣으면 물과 용질 입자가 더 이상 서로 끌어당기지 못하므로 용질이 물에 다 녹지 못한다.

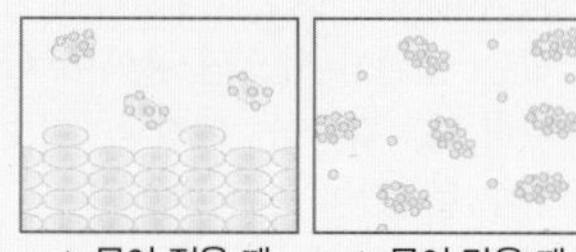

▲ 물이 적을 때 ▲ 물이 많을 때

● 용질마다 물에 용해되는 정도

소금과 탄산수소 나트륨은 설탕에 비해 온도와 양이 같은 물에 용해되는 양이 적다.

● 코코아차

코코아 가루가 모두 용해되지 않고 컵 바닥에 가라앉았을 때 온도를 높이면 용해되지 않고 남아 있던 코코아 가루를 다 용해할 수 있다. 물을 데워 온도를 높이면 같은 양의 물에 용해할 수 있는 코코아 가루의 양이 많아지기 때문이다.

정답

ⓐ 다르 ⓑ 많을 ⓒ 많이 ⓓ 용매

2 물질을 많이 녹이는 방법

1. 물의 양과 용질이 용해되는 양

① 물의 양에 따라 용질이 용해되는 양 비교하기

탐구 물의 양과 용질이 용해되는 양

탐구 과정

① 비커 세 개에 물을 각각 50 mL씩 담는다.
② 소금, 설탕, 탄산수소 나트륨을 각각 한 숟가락씩 넣고 유리 막대로 저은 뒤에 변화를 관찰한다.
③ 소금, 설탕, 탄산수소 나트륨을 각각 한 숟가락씩 더 넣고 유리 막대로 저어 변화를 관찰한다.
④ 비커 세 개에 온도가 같은 물을 각각 100 mL씩 담는다.
⑤ 소금, 설탕, 탄산수소 나트륨을 각각 두 숟가락씩 넣고 유리 막대로 저은 뒤에 변화를 관찰한다.

탐구 결과 및 결론

① 물 50mL와 물 100mL에 여러 가지 용질을 녹인 결과

구분		소금	설탕	탄산수소 나트륨
물 50 mL	한 숟가락	다 용해됨	다 용해됨	가라앉음
	두 숟가락	가라앉음	다 용해됨	가라앉음
물 100 mL	한 숟가락	다 용해됨	다 용해됨	다 용해됨
	두 숟가락	다 용해됨	다 용해됨	가라앉음

② 물의 온도와 양이 같아도 용질마다 용해되는 양이 서로 ⓐ_____다.
③ 용매의 양이 ⓑ_____수록 용질이 많이 녹는다.

② 용매의 양과 용질이 용해되는 양 : 용매의 양이 많을수록 용질이 ⓒ_____ 용해된다.

③ 녹지 않은 용질을 모두 녹이는 방법 : ⓓ_____를 더 넣는다.

④ 일상생활에서 용매의 양에 따라 용질이 용해되는 양이 달라지는 예

- 물의 양이 많을수록 코코아 가루를 더 많이 타서 먹을 수 있다.
- 물에 코코아 가루가 다 녹지 않고 바닥에 가라앉은 경우 물을 더 넣고 저으면 모두 녹일 수 있다.

2. 물의 온도와 용질이 용해되는 양

① 물의 온도에 따라 용질이 용해되는 양 비교하기

- 다르게 할 조건 : ⓐ
- 같게 할 조건 : ⓑ, ⓒ

★ 탐구 물의 온도와 용질이 용해되는 양

탐구 과정

① 10 ℃와 40 ℃의 물을 준비한다.
② 비커 두 개에 10 ℃와 40 ℃의 물을 각각 50 mL씩 담는다.
③ 두 비커에 각각 백반을 두 숟가락씩 넣고 유리 막대로 젓는다.
④ 40 ℃ 물에 녹인 백반 용액이 든 비커를 얼음물에 넣고 변화를 관찰한다.

탐구 결과 및 결론

① ⓓ ℃ 물에 녹인 백반은 바닥에 가라앉거나 뜨는 것 없이 다 용해되고, ⓔ ℃ 물에 녹인 백반은 다 용해되지 않고 바닥에 가라앉는다.
② 40 ℃ 물에 녹인 백반 용액을 얼음물에 넣어 온도를 낮추었더니 ⓕ 알갱이가 생겼다.
③ 용매의 온도가 ⓖ 수록 용질이 많이 녹는다.

② 용매의 온도와 용질이 용해되는 양 : 일반적으로 용매의 온도가 높을수록 용질이 ⓗ 용해된다.

③ 일상생활에서 용매의 온도에 따라 용질이 용해되는 양이 달라지는 예

- 코코아차를 만들 때 뜨거운 물을 사용하면 코코아 가루를 더 많이 타서 먹을 수 있다.
- 빨래를 할 때 가루 세제를 많이 녹이기 위하여 따뜻한 물을 사용한다.

④ 따뜻한 백반 용액의 온도를 낮추었을 때 생긴 알갱이를 다시 녹이는 방법

- 물의 양을 많이 한다.
- 물의 온도를 높게 한다.

3. 용질을 많이 녹이는 방법

① 용매의 ⓘ 을 많이 한다.
② 용매의 온도를 ⓙ 게 한다.

개념 더하기

● **물의 온도와 고체 물질의 녹는 양**
대부분의 고체 물질은 물의 온도가 높아지면 녹는 양이 증가하지만, 수산화 칼슘은 온도가 높아지면 오히려 녹는 양이 감소한다.

● **온도를 낮추면 결정이 생기는 이유**
용액의 온도가 낮아지면 녹일 수 있는 용질의 양이 줄어들기 때문에 녹아 있던 용질이 결정으로 생긴다.

용어 풀이

백반(흰 白, 명반 礬)
명반이라고도 불리는 무색의 결정으로 옷감을 염색하는 염색제나 지혈제, 지사제로 사용된다.

결정(맺을 結, 맑을 晶)
입자가 규칙적으로 배열되어 특별한 형태를 가지고 있는 것

정답

ⓐ 물의 온도 ⓑ 용질의 양
ⓒ 물의 양 ⓓ 40 ⓔ 10
ⓕ 백반 ⓖ 높을 ⓗ 많이
ⓘ 양 ⓙ 높

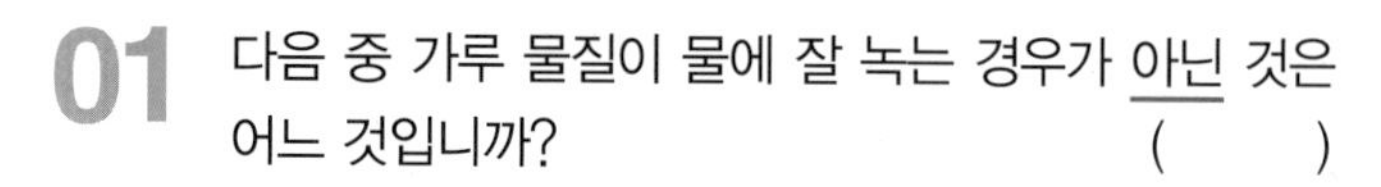

개념 기르기

01 다음 중 가루 물질이 물에 잘 녹는 경우가 아닌 것은 어느 것입니까? (   )

① 국을 끓일 때 소금을 넣어 간을 맞추었다.
② 코코아 가루를 물에 넣어 코코아차를 만들었다.
③ 설탕을 물에 넣었더니 설탕 알갱이가 보이지 않았다.
④ 국에 멸치 가루를 넣었더니 국물 위에 멸치 가루가 떠 있었다.
⑤ 인스턴트 커피 가루를 뜨거운 물에 넣었더니 물이 갈색으로 변하였다.

02 50 mL의 물에 소금, 설탕, 멸치 가루를 각각 두 숟가락씩 넣고 유리 막대로 저어준 후 10분 동안 그대로 두었습니다. 이때 관찰할 수 있는 현상으로 옳지 않은 것을 모두 고르세요. (,)

① 소금은 모두 물에 녹는다.
② 설탕은 모두 물에 녹는다.
③ 멸치 가루는 모두 물에 녹는다.
④ 물질의 종류에 상관없이 물에 녹는 양이 같다.
⑤ 물에 여러 가지 가루 물질을 넣으면 어떤 물질은 녹고, 어떤 물질은 녹지 않는다.

03 다음과 같이 물에 설탕과 멸치 가루를 두 숟가락씩 넣고 관찰하였습니다. (가)와 (나)에 대한 설명으로 옳은 것은 어느 것입니까? (   )

(가)

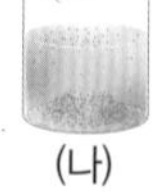
(나)

① (가) 비커에는 멸치 가루가 들어 있다.
② (가) 비커에 멸치 가루를 더 넣으면 잘 녹는다.
③ (나) 비커에는 설탕이 들어 있다.
④ (나) 비커에는 멸치 가루가 들어 있다.
⑤ (나) 비커에 설탕을 더 넣으면 잘 녹지 않을 것이다.

중요

04 다음 중 ㉠과 ㉡에 들어갈 알맞은 말이 바르게 짝지어진 것은 어느 것입니까? (   )

> 설탕을 물에 넣었을 때와 같이 물질이 물에 녹는 현상을 (㉠)(이)라고 하고, 설탕물처럼 물질이 물에 녹아 있는 것을 (㉡)(이)라고 한다.

	㉠	㉡		㉠	㉡
①	용매	용질	②	용매	용액
③	용해	용매	④	용해	용액
⑤	용액	용해			

05 다음 중 용액이 아닌 것은 어느 것입니까? (   )

① 향수 ② 흙탕물 ③ 바닷물
④ 소금물 ⑤ 이온 음료

06 다음 중 물에 흰색 각설탕을 녹였을 때 나타나는 변화에 대한 설명으로 옳은 것은 어느 것입니까? (   )

① 각설탕 덩어리의 크기가 점점 커진다.
② 각설탕이 큰 덩어리로 뭉친다.
③ 각설탕이 물에 녹으면서 색깔이 어두워진다.
④ 각설탕이 물에 녹으면서 아지랑이처럼 섞인다.
⑤ 거름종이로 거르면 종이 위에 각설탕이 걸러진다.

07 다음 중 용해와 관련된 현상으로 옳은 것은 어느 것입니까? (   )

① 물에 밀가루를 넣고 저었더니 뿌옇게 흐려졌다.
② 설탕을 가열하였더니 설탕이 녹아 투명해졌다.
③ 냉장고에서 꺼낸 음료수 병 표면에 물방울이 맺혔다.
④ 소금을 물에 넣었더니 흰색 소금 가루가 보이지 않았다.
⑤ 접시에 담긴 간장을 며칠 두었더니 반짝이는 고체가 생겼다.

08 다음 중 온도와 양이 일정한 물에 소금을 계속 넣고 저을 경우 일어나는 변화로 옳은 것은 어느 것입니까? (　　)

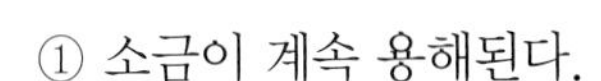

① 소금이 계속 용해된다.
② 소금이 사라져 보이지 않는다.
③ 소금이 용해되었다가 다시 결정으로 나타난다.
④ 소금이 어느 정도 용해되면 바닥에 가라앉는다.
⑤ 소금이 처음에는 용해되지 않다가 서서히 용해된다.

09 설탕 10 g을 물 50 g에 완전히 녹였을 때 설탕물의 무게로 옳은 것은 어느 것입니까? (　　)

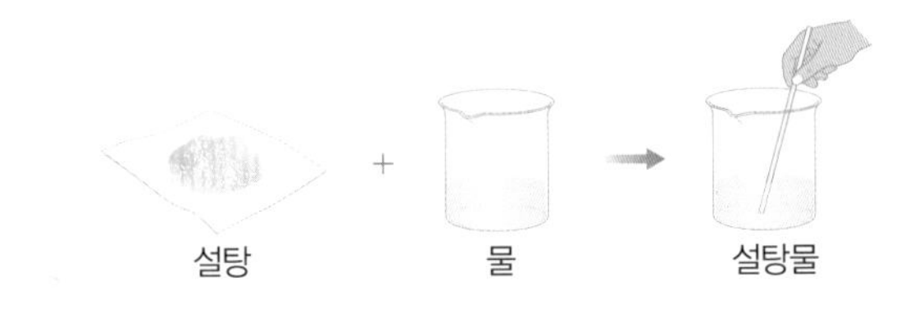

① 10 g　② 20 g　③ 50 g
④ 60 g　⑤ 100 g

10 물의 온도에 따라 백반이 용해되는 양을 알아보는 실험을 하려고 합니다. 다음 <보기> 중 같게 할 조건으로 바르게 짝지어진 것은 어느 입니까? (　　)

보기
㉠ 물의 양　㉡ 물의 온도
㉢ 비커의 크기　㉣ 백반의 양

① ㉠, ㉡　② ㉠, ㉢　③ ㉠, ㉣
④ ㉡, ㉢　⑤ ㉢, ㉣

11 다음 중 백반을 가장 많이 녹일 수 있는 비커는 어느 것입니까? (　　)

①

② 20 ℃ 100 mL

③
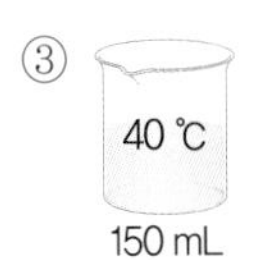

④ 20 ℃ 200 mL

⑤ 40 ℃ 250 mL

신유형

12 다음 중 물에 녹지 않고 떠 있는 코코아 가루를 더 녹일 수 있는 방법으로 옳은 것을 모두 고르세요. (　,　)

① 얼음을 넣는다.
② 물을 더 넣는다.
③ 냉장고에 넣는다.
④ 전자레인지에 데운다.
⑤ 유리 막대로 저어 준다.

13 따뜻한 물에 녹인 백반 용액을 얼음물에 담갔을 때 나타나는 변화로 옳은 것은 어느 것입니까? (　　)

① 백반 용액이 언다.
② 아무런 변화가 없다.
③ 백반 결정이 생긴다.
④ 백반을 더 녹일 수 있다.
⑤ 백반 용액의 색이 변한다.

서술형으로 다지기

손에 잡히는 문제 해결

두 물질을 섞을 때 녹이는 물질을 무엇이라고 하나요?

▼

두 물질을 섞을 때 녹는 물질을 무엇이라고 하나요?

▼

두 물질이 골고루 섞인 것을 무엇이라고 하나요?

01 다음과 같이 설탕과 물을 이용하여 설탕물을 만들 때 용매와 용질, 용액에 해당하는 물질의 이름을 쓰고, 그 의미를 적어보세요.

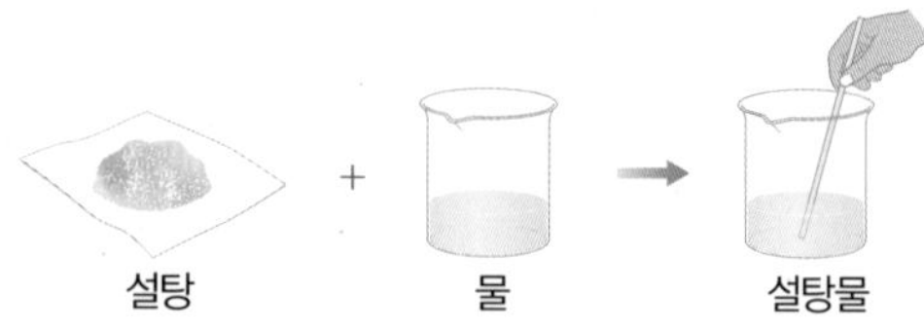

(1) 용매 :

(2) 용질 :

(3) 용액 :

손에 잡히는 문제 해결

백반 가루가 바닥에 가라앉은 이유는 무엇인가요?

▼

물의 양에 따라 백반이 녹는 양은 어떻게 달라지나요?

▼

물의 온도에 따라 백반이 녹는 양은 어떻게 달라지나요?

02 다음과 같이 물 50 mL에 백반 가루를 세 숟가락 넣고 유리 막대로 저었더니 백반이 모두 녹지 않고 바닥에 가라앉았습니다. 녹지 않은 백반을 녹일 수 있는 방법을 두 가지 적어보세요.

정답 및 해설
10쪽

03 다음과 같이 따뜻한 물에 모두 용해된 백반 용액을 얼음물에 넣었을 때 비커 안에서 나타나는 변화와 그 이유를 적어보세요.

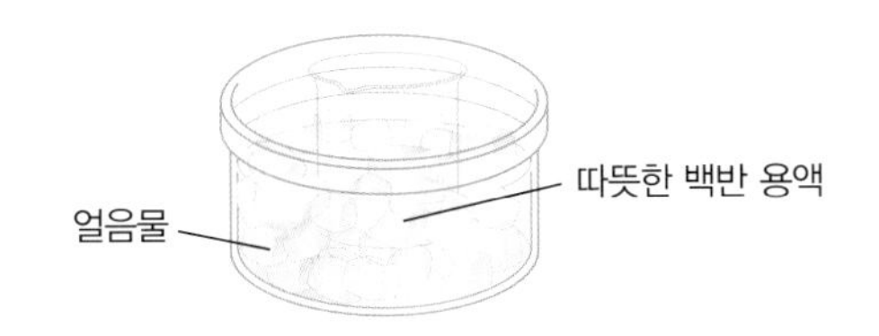

(1) 비커 안에서 나타나는 변화 :

(2) 이유 :

비커 안 용액에 녹아 있는 물질은 무엇인가요?

따뜻한 백반 용액을 얼음에 든 수조에 넣어두면 비커 안 용액의 온도는 어떻게 변하나요?

온도에 따라 물질이 녹는 양은 어떻게 달라지나요?

04 12 g의 설탕이 녹아 있는 설탕물 40 g을 햇볕이 잘 드는 창가에 두었더니 물은 모두 증발하고 접시 위에 설탕 결정만 남았습니다. 이때 생긴 설탕 결정의 무게와 증발한 물의 무게는 각각 몇 g인지 그 이유와 함께 적어보세요.

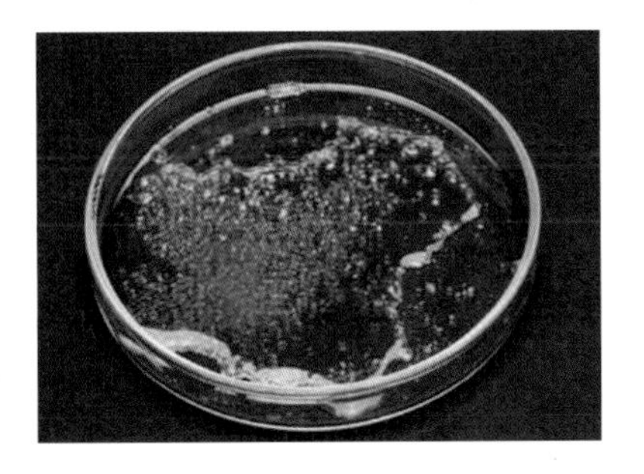

(1) 설탕의 무게 :

(2) 증발한 물의 무게 :

(3) 이유 :

용질이 물에 용해되기 전과 후의 무게는 어떤가요?

용액의 무게는 몇 g인가요?

용매와 용질의 무게는 각각 몇 g인가요?

융합사고력 키우기

- ✓ Science
  - ▶ 용해도
- ✓ Technology
  - ▶ 과립화
- Engineering
- Art
- Mathematics

아이스커피가 찬물에 잘 녹는 이유

씁쓸하지만 향긋한 냄새로 사람을 유혹하는 커피, 특히 여름에는 얼음이 동동 떠 있는 아이스커피로 변신한다. 최근에는 인스턴트 커피믹스도 아이스커피로 만들어 간편하게 즐길 수 있게 되었다. 실제로 일반 커피믹스에 찬물을 부으면 커피 입자와 크림이 녹지 않고 둥둥 뜬다. 반면 아이스용 커피믹스는 찬물을 붓는 순간 녹아 흔적도 없이 사라진다. 똑같은 커피믹스인데 왜 일반 커피믹스는 찬물에 녹지 않고, 아이스용 커피믹스는 찬물에도 잘 녹는 걸까?

그 비밀은 크림에 사용하는 지방과 커피 입자에 있다. 일반 커피믹스 크림은 25 ℃ 이상의 물에 녹는 야자유로 만든다. 야자 열매(코코넛)로 만든 야자유는 삼겹살 지방처럼 실온에서 고체 상태인 지방이다. 고체 지방은 녹는점이 높기 때문에 뜨거운 물을 부어야 녹는다. 반면 아이스용 커피믹스에 들어가는 크림은 해바라기유를 사용한다. 해바라기유는 녹는점이 낮아 0 ℃에 가까운 찬물에서도 잘 녹는다. 또한 아이스용 커피믹스는 일반 커피믹스보다 입자 크기가 더 작아 찬물에서도 빨리 녹는다. 아이스커피가 어른들의 여름 음료라면 차가운 코코아 음료는 아이들이 좋아하는 대표적인 여름 음료다. 카카오 지방이 들어 있는 코코아 가루는 차가운 우유나 물에서도 잘 풀어지게 하기 위해 뜨거운 수증기로 녹였다가 다시 굳히는 '과립화' 과정을 거쳐 만든다.

1 일반 커피믹스와 아이스용 커피믹스에 사용하는 크림 중 더 낮은 온도에서 녹는 것은 무엇인지 적어보세요.

용어 풀이

- **입자(낟알 粒, 아들 子)**
  아주 작고 거의 눈에 보이지 않을 정도의 작은 알갱이
- **크림(cream)**
  우유에서 얻는 지방 성분
- **과립화(낟알 顆, 알 粒, 될 化) 과정**
  둥글고 작은 알갱이로 만드는 과정

2 뜨거운 수증기로 녹였다가 다시 굳히는 '과립화 과정'을 거친 코코아 가루가 찬물에서도 잘 녹는 이유를 추리해서 적어보세요.

손에 잡히는 STEAM

'과립화 과정'은 무엇인가요?

'과립화 과정'을 거친 후에는 어떤 특성이 생기나요?

'과립화 과정'을 거친 코코아 가루가 찬물에서도 잘 녹는 이유는 무엇인가요?

논술형

3 일반 커피믹스는 뜨거운 물에서만 녹기 때문에 찬물에 넣으면 잘 녹지 않고 뜹니다. 이를 바탕으로 소금이 완전히 녹아 있는 용액에서 순수한 소금 결정을 얻기 위한 방법을 적어보세요.

손에 잡히는 STEAM

일반 커피믹스는 왜 찬물에서는 녹지 않을까요?

온도와 물질이 녹는 양은 어떤 관련이 있나요?

소금물에서 소금 결정을 얻는 방법은 무엇인가요?

용질의 양에 따라 달라지는

06 용액의 진하기

1 용액의 진하기

1. 용액의 진하기

① 설탕물의 단 정도나 소금물의 짠 정도

② 같은 양의 물에 용해된 ⓐ______의 많고 적은 정도

2. 진하기가 다른 황설탕 용액의 진하기 비교 방법

① 진하기가 다른 황설탕 용액의 진하기 비교 방법

★탐구 황설탕 용액의 진하기 비교하기

탐구 과정

① 비커 두 개에 물을 각각 80 mL씩 담는다.

② 한 비커에는 황색 각설탕을 한 개, 다른 비커에는 열 개를 녹인다.

물 80 mL 물 80 mL 황색 각설탕 1개 황색 각설탕 10개

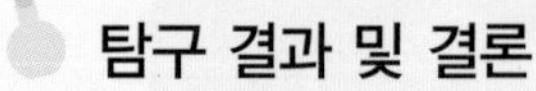

탐구 결과 및 결론

① 황색 각설탕을 한 개 녹인 용액은 색이 ⓑ______하고, 열 개 녹인 용액은 색이 ⓒ______하다.

② 황색 각설탕을 한 개 녹인 용액은 맛이 조금 달고, 열 개 녹인 용액은 매우 달다.

③ 용액의 색이 진할수록 황설탕 용액의 진하기가 ⓓ______하다.

④ 용액의 맛이 진할수록 황설탕 용액의 진하기가 ⓔ______하다.

▲ 황색 각설탕 1개 ▲ 황색 각설탕 10개

② 황설탕 용액의 진하기 비교 방법

- 용액의 진하기 : 물의 온도와 양이 같을 때 물에 용해된 용질의 양이 많을수록 용액의 진하기가 진하다.
- 색깔 : 색깔이 진할수록 용액의 진하기가 ⓕ______하다.
- 맛 : 맛이 달수록 용액의 진하기가 ⓖ______하다.

개념 더하기

● 용액의 진하기와 농도

용액 속에 녹아 있는 용질의 양에 따라 용액은 진해지기도 하고 색이 변하기도 한다. 이와 같은 용액의 진하기, 즉 용액 속에 용질이 얼마나 녹아 있는가를 나타내는 값이 바로 용액의 농도이다. 따라서 용액의 농도는 용액 속에 녹아 있는 용질의 양을 나타내는 기준이 된다. 농도가 진한 용액일수록 같은 양의 용액에 녹은 용질의 양이 많고, 흔들어보면 잘 흔들리지 않는다. 또한, 가열했을 때 생기는 물질의 양이 더 많다.

용어 풀이

✓ **농도(짙을 濃, 정도 度)**
용액의 진함과 묽음의 정도

정답

ⓐ 용질 ⓑ 연 ⓒ 진 ⓓ 진 ⓔ 진 ⓕ 진 ⓖ 진

3. 투명한 용액의 진하기 비교 방법

① 물체가 뜨는 정도로 용액의 진하기 비교하기

★탐구 물체가 뜨는 정도로 용액의 진하기 비교하기

탐구 과정

① 비커 두 개에 물을 80 mL씩 담고, 흰색 각설탕을 각각 한 개, 열 개를 녹인다.
② 용액 뒤에 흰 종이를 대어 진하기를 비교한다.
③ 각설탕 한 개를 녹인 비커에 방울토마토를 넣고 용액에서 뜨는 정도를 관찰한다.
④ 나무젓가락으로 방울토마토를 꺼내어 화장지로 잘 닦는다.
⑤ 각설탕 열 개를 녹인 비커에 방울토마토를 넣고 용액에서 뜨는 정도를 관찰한다.

탐구 결과 및 결론

① 두 설탕 용액 모두 무색 투명하여 색으로는 용액의 진하기를 비교할 수 없다.
② 각설탕 한 개를 녹인 설탕물에서 방울토마토는 ⓐ＿＿＿＿다.
③ 각설탕 열 개를 녹인 설탕물에서 방울토마토는 ⓑ＿＿＿＿다.
④ 방울토마토는 각설탕 열 개를 녹인 진하기가 ⓒ＿＿＿ 용액에서 더 높이 떠오른다.

▲ 각설탕 1개

▲ 각설탕 10개

② 방울토마토의 높이 조절

- 설탕 용액 중간에 떠 있는 방울토마토를 더 높이 띄울 때 : ⓓ＿＿＿을 더 녹여 진하기가 진한 용액으로 만든다.
- 설탕 용액 중간에 떠 있는 방울토마토를 더 가라앉게 할 때 : ⓔ＿＿을 더 넣어 진하기가 묽은 용액으로 만든다.

③ 진하기가 다른 용액의 진하기를 비교하는 방법

- 맛의 진한 정도를 비교한다.
- 색의 진한 정도를 비교한다.
- 맛이나 색으로 구별할 수 없는 투명한 용액의 진하기는 방울토마토, 달걀, 메추리알과 같은 물체를 넣어 뜨는 정도를 비교한다.

▲ 묽은 소금물

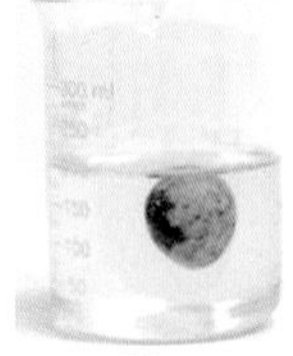
▲ 진한 소금물

개념 더하기

● 용액의 진하기와 물체가 뜨는 정도

용액의 진하기가 진한 용액은 묽은 용액보다 용질이 많이 녹아 있어 같은 부피에 해당하는 무게가 무겁다. 따라서 용액의 진하기가 진한 용액에서 물체가 많이 떠오른다.

● 수영장과 바다에서의 수영

일반 수영장에 비해 바다에서 수영을 하면 몸이 물에 더 잘 뜬다. 바닷물이 수영장 물보다 용액의 진하기가 더 진하기 때문이다.

● 사해

세계에서 염분이 가장 높은 곳으로 일반 바닷물보다 여섯 배 정도 높다. 하구 근처 외에는 생물이 거의 살지 않고, 염분이 매우 높아 사람이 물속에 가만히 있어도 뜬다.

정답 ⓐ 가라앉는 ⓑ 떠오른 ⓒ 진한 ⓓ 설탕 ⓔ 물

06 용액의 진하기

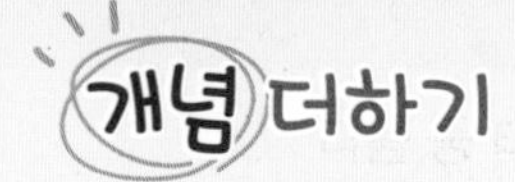

● **비중계**
액체나 고체 물질의 무게를 물과 비교하여 나타낸 값을 비중, 비중을 재는 기구를 비중계라고 한다. 진한 용액에서는 비중계가 많이 뜨고, 묽은 용액에서는 많이 가라앉는다. 용액의 진하기를 비교하는 기구도 간이 비중계의 종류이다.

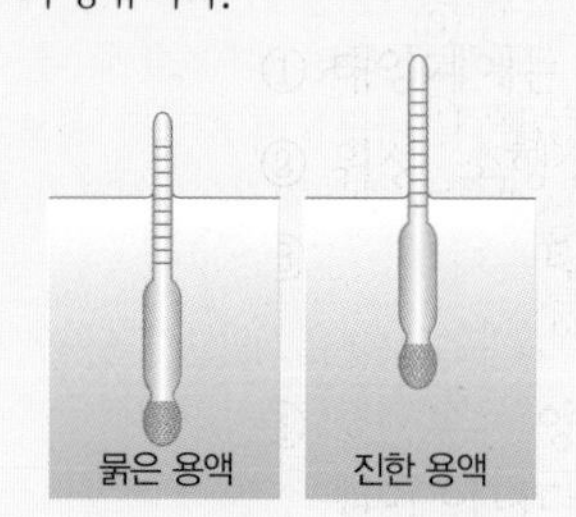

4. 일상생활에서 용액의 진하기를 측정하거나 비교하는 경우

① 장을 담글 때 소금물의 진하기를 알아보기 위하여 달걀을 띄워 본다.

② 모내기를 하기 전에 좋은 볍씨를 고르기 위하여 볍씨를 소금물에 넣어 뜨는 정도를 본다.

③ 공장에서 음료수의 진한 정도를 일정하게 유지하기 위하여 진하기를 재는 기계(비중계)를 사용한다.

④ 학교에서 실험을 하기 위하여 용액의 진하기를 측정한다.

▲ 장 담글 때 소금물 진하기

▲ 좋은 볍씨 고르기

▲ 음료수 진하기 측정

2 용액의 진하기를 비교할 수 있는 도구

1. 용액의 진하기를 비교할 수 있는 도구의 조건

① 용액 속에서 균형 있게 ⓐ________ 수 있어야 한다.

② 진하기를 비교할 수 있는 눈금이 있어야 한다.

• 눈금 간격이 ⓑ______할수록 진하기를 정확하게 비교할 수 있다.

2. 일회용 스포이트를 이용해 용액의 진하기를 비교하는 도구 만들기

① 만드는 방법

• 일회용 스포이트 끝부분을 조금 자르고 일정한 간격으로 눈금을 표시한다.
 → 일회용 스포이트 꼭지 부분에 색점토를 넣어 용액 속에서 서 있을 수 있도록 만든다.

② 용액의 진하기 비교 결과

묽은 용액에서는 ⓒ______ 떠오르고, 진한 용액에서는 ⓓ______ 떠오른다.

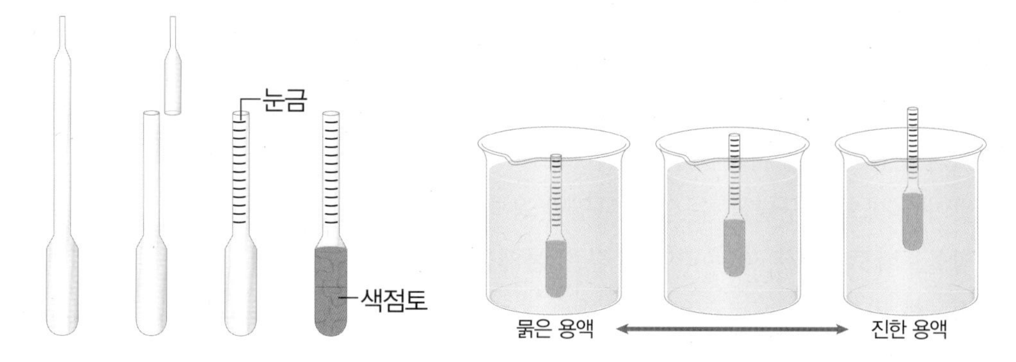

용어 풀이

✓ **비중(비교할 比, 무거울 重)**
액체나 고체 물질의 무게를 물과 비교하여 나타낸 값

정답
ⓐ 서 있을 ⓑ 좁을 ⓒ 조금
ⓓ 많이

★더 알아보기 물질을 빨리 녹이는 방법

1. 젓는 빠르기와 백반이 녹는 속도

- 같게 할 것 : 물의 양, 물의 온도, 백반의 양, 백반 알갱이의 크기
- 다르게 할 것 : 유리 막대로 젓는 빠르기

① 탐구 과정

두 개의 비커에 상온의 물을 50 mL씩 담고 백반 가루를 한 숟가락씩 넣은 후 한 비커는 유리 막대를 천천히 젓고 다른 비커는 빨리 젓는다.

천천히 젓기 빨리 젓기

② 탐구 결과 및 결론

유리 막대로 물을 ⓐ______ 저을 때 백반이 더 빨리 녹는다.

2. 물의 온도와 백반이 녹는 속도

- 같게 할 것 : 물의 양, 백반의 양, 백반 알갱이의 크기, 유리 막대로 젓는 빠르기
- 다르게 할 것 : 물의 온도

① 탐구 과정

두 개의 비커에 뜨거운 물과 차가운 물을 50 mL씩 담고, 백반 가루를 한 숟가락씩 넣은 후 같은 속도로 유리 막대를 젓는다.

차가운 물

뜨거운 물

② 탐구 결과 및 결론

백반을 ⓑ______운 물에 녹일 때 더 빨리 녹는다.

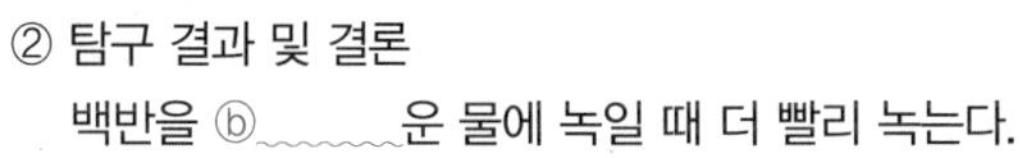

3. 백반 알갱이의 크기와 백반이 녹는 속도

- 같게 할 것 : 물의 양, 물의 온도, 백반의 양, 유리 막대로 젓는 빠르기
- 다르게 할 것 : 백반 알갱이의 크기

① 탐구 과정

두 개의 비커에 상온의 물을 50 mL씩 담고, 한 비커에는 백반 가루를 한 숟가락 넣고 다른 비커에는 백반 덩어리를 한 숟가락 넣은 후 같은 빠르기로 유리 막대를 젓는다.

백반 덩어리 백반 가루

② 탐구 결과 및 결론

백반 ⓒ______가 더 빨리 녹는다.

4. 가루 물질을 빨리 녹이는 방법

① ⓓ______ 젓는다.
② ⓔ______운 물을 사용한다.
③ 백반 알갱이의 크기를 ⓕ______게 한다.

개념 더하기

● 유리 막대를 빨리 저으면 용질이 빨리 녹는 이유

- 물질을 물에 넣은 뒤에 저으면 용질 입자들이 물 입자와 서로 부딪치면서 쉽게 떨어지므로 빨리 녹는다.
- 물 입자와 용질 입자가 인력으로 붙으면서 용해된다. 이때 유리 막대로 빨리 저으면 물 입자와 용질 입자가 잘 만나므로 용질이 더 빨리 녹는다.

● 용매의 온도가 높으면 용질이 빨리 녹는 이유

- 온도를 높이면 용질 입자들의 운동이 활발해져 서로 붙어 있던 입자들이 쉽게 떨어지므로 더 빨리 녹는다.
- 온도를 높이면 물 입자의 운동이 빨라져 용질 입자를 빨리 끌어당기므로 더 빨리 녹는다.

● 용질의 크기가 작을수록 빨리 녹는 이유

물에 녹는 현상은 용질 입자들이 물 입자에 끌리면서 하나하나 떨어진 뒤에 퍼지는 것이다. 가루 형태는 물과 만날 수 있는 표면적이 넓기 때문에 물 입자와 잘 만나므로 더 빨리 녹는다.

● 용질을 많이 녹이는 방법

- 뜨거운 용매를 사용한다.
- 용매의 양을 많이 한다.

정답

ⓐ 빨리 ⓑ 뜨거 ⓒ 가루
ⓓ 빨리 ⓔ 뜨거 ⓕ 작

개념 기르기

01 다음과 같이 두 개의 비커에 같은 양의 물을 담고 (가)에는 황색 각설탕 한 개를, (나)에는 열 개를 녹였습니다. 실험 결과로 옳지 않은 것은 어느 것입니까? (　　)

(가) 1개

(나) 10개

① (나)의 맛이 더 달다.
② (나)가 더 진한 용액이다.
③ (가)의 색깔이 더 연하다.
④ (가)와 (나)는 무색투명해진다.
⑤ (가)와 (나)의 진하기가 다르다.

중요

02 다음과 같이 서로 다른 개수의 각설탕을 녹인 설탕물에 방울토마토를 넣고 관찰하였습니다. (가)와 (나)에 대한 설명으로 옳은 것은 어느 것입니까? (　　)

(가) 1개

(나) 10개

① (가) 비커의 방울토마토는 떠오른다.
② (나) 비커의 방울토마토는 가라앉는다.
③ (가) 비커에 물을 더 넣으면 방울토마토가 떠오른다.
④ (나) 비커에 물을 더 넣으면 방울토마토가 가라앉는다.
⑤ (가) 비커의 설탕물이 (나) 비커의 설탕물보다 진하다.

03 진하기가 서로 다른 소금물에 메추리알을 넣었더니 다음과 같았습니다. 이에 대한 설명으로 옳은 것을 모두 고르세요. (　,　)

(가)

(나)

① (가)가 더 짜다.
② (가)가 더 진한 용액이다.
③ (나)가 더 진한 용액이다.
④ 가열하여 물을 증발시키면 (나)에서 소금이 더 많이 생긴다.
⑤ 소금을 한 숟가락씩 더 넣으면 (나)의 메추리알이 가라앉는다.

04 다음 중 설탕 용액에 떠 있는 방울토마토를 가라앉게 하는 방법으로 옳은 것은 어느 것입니까? (　　)

① 물을 더 넣는다.
② 비커를 흔든다.
③ 설탕을 더 넣는다.
④ 설탕 용액을 가열한다.
⑤ 설탕 용액을 절반 정도 덜어낸다.

05 다음 중 진하기가 다른 소금물의 진하기를 비교하는 방법으로 옳지 않은 것은 어느 것입니까? (　　)

① 맛을 본다.
② 색을 본다.
③ 용액을 흔들어 본다.
④ 메추리알을 띄워본다
⑤ 용액을 가열하여 생긴 소금의 양을 비교한다.

06 다음은 장을 담그는 과정의 일부분입니다. 이 과정은 소금물의 무엇을 알아보기 위한 과정입니까?(　　)

장을 담글 때 사용할 소금물에 달걀을 띄워 달걀이 500원짜리 동전 크기만큼 떠오르는지 확인한다.

① 온도　② 부피　③ 질량
④ 신선도　⑤ 진하기

07 다음 중 일상생활에서 용액의 진하기를 측정하거나 비교하는 경우로 옳지 않은 것은 어느 것입니까? (　　)

① 염전에서 바닷물을 증발시켜 소금을 만든다.
② 학교에서 설탕물 탑을 만들기 위해 용액의 진하기를 측정한다.
③ 장을 담글 때 소금물의 진하기를 알아보기 위하여 달걀을 띄워 본다.
④ 공장에서 음료수의 진한 정도를 일정하게 유지하기 위하여 비중계를 사용한다.
⑤ 모내기를 하기 전에 좋은 볍씨를 고르기 위하여 볍씨를 소금물에 넣어 뜨는 정도를 본다.

08 다음 중 용액의 진하기가 진한 용액의 특징으로 옳은 것은 어느 것입니까? (　　)

① 용액을 흔들어 보면 더 잘 흔들린다.
② 용액의 색이 연할수록 진한 용액이다.
③ 용액을 가열하여 생긴 물질의 양이 더 적다.
④ 같은 양의 용매에 녹인 용질의 양이 더 적다.
⑤ 방울토마토를 넣으면 방울토마토가 위로 더 잘 떠오른다.

신유형

09 일회용 스포이트로 용액의 진하기를 비교할 수 있는 도구를 만들었습니다. 이에 대한 설명으로 옳지 않은 것은 어느 것입니까? (　　)

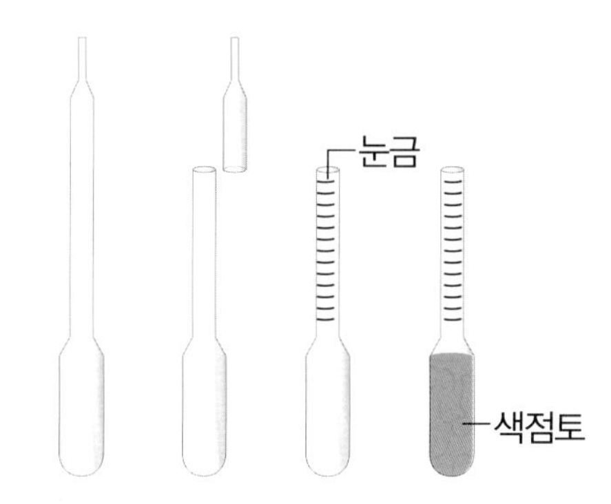

① 일회용 스포이트는 물에 잘 뜬다.
② 일회용 스포이트는 부피에 비해 무겁다.
③ 진하기를 정확하게 비교할 수 있도록 눈금을 촘촘하게 그린다.
④ 일회용 스포이트가 용액 속에서 균형 있게 서 있을 수 있도록 꼭지 부분에 색점토를 채운다.
⑤ 일회용 스포이트로 만든 용액의 진하기를 비교할 수 있는 도구는 진한 용액에서 많이 떠오른다.

10 설탕물 탑을 만들기 위해 물 100 mL에 설탕의 양을 달리하여 설탕물을 만들었습니다. 설탕물 탑을 잘 쌓기 위해 가장 먼저 넣어야 하는 설탕물은 어느 것입니까? (　　)

① 물 100 mL에 설탕 5 g을 녹인 설탕물
② 물 100 mL에 설탕 10 g을 녹인 설탕물
③ 물 100 mL에 설탕 20 g을 녹인 설탕물
④ 물 100 mL에 설탕 30 g을 녹인 설탕물
⑤ 물 100 mL에 설탕 50 g을 녹인 설탕물

서술형으로 다지기

손에 잡히는 문제 해결

용액의 진하기란 무엇인가요?

▼

황색 각설탕 1개를 녹인 용액과 10개를 녹인 용액 중 진한 용액은 무엇인가요?

▼

부피가 같을 때 진하기가 묽은 용액과 진한 용액 중 어느 것이 더 무거운가요?

01 다음과 같이 종이컵에 물을 100 mL씩 담고 황색 각설탕을 각각 한 개와 열 개를 녹였습니다. 황색 각설탕이 모두 녹은 후 황색 각설탕 용액을 각각 50mL씩 비커에 옮겨 담았습니다. 두 용액을 수평을 맞춘 윗접시 저울 양쪽에 각각 올렸을 때의 결과를 이유와 함께 적어보세요.

▲ 황색 각설탕 1개 ▲ 황색 각설탕 10개

손에 잡히는 문제 해결

설탕물 속에 녹아 있는 설탕의 양이 다를 때 달라지는 것은 무엇인가요?

▼

㉠~㉢ 중 진하기가 가장 진한 것은 무엇인가요?

▼

용액의 진하기가 다른 용액으로 설탕물 탑을 쌓으려면 어떤 순서로 설탕물을 넣어야 할까요?

02 다음과 같이 녹아 있는 설탕의 양이 다른 설탕물에 각각 다른 색깔의 물감을 넣은 후, 설탕물을 구분하여 탑을 쌓았습니다. ㉠ ~ ㉢ 중 설탕이 가장 적게 녹아 있는 층을 고르고, 설탕물 탑을 쌓을 수 있는 이유를 적어보세요.

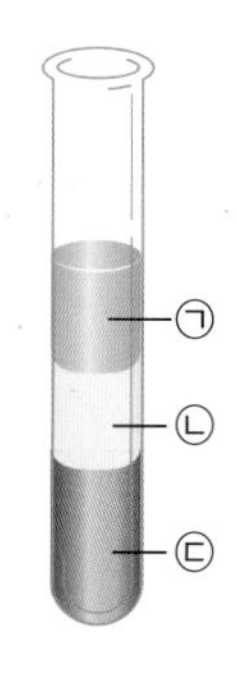

(1) 설탕이 가장 적게 녹아 있는 층 :

(2) 설탕물 탑을 쌓을 수 있는 이유 :

03 일회용 스포이트를 이용하여 용액의 진하기를 비교할 수 있는 도구를 만들어 진하기가 다른 소금물 용액에 각각 넣어보았습니다. (가)와 (나) 중 더 진한 용액을 고르고, (가)에 있는 도구를 (나)와 같이 높이 뜨게 하려면 어떻게 해야 하는지 적어보세요.

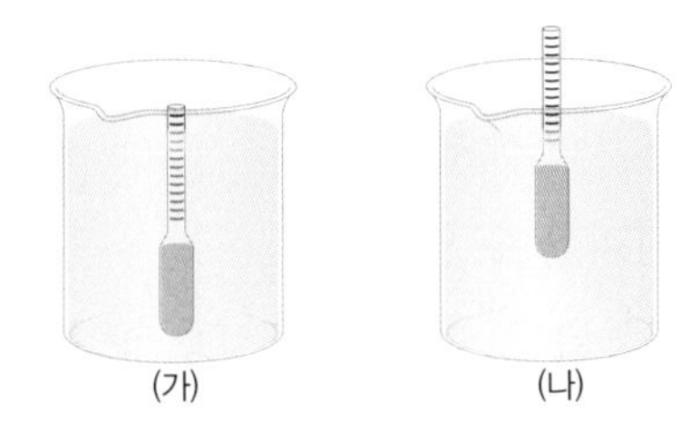

(1) (가)와 (나) 중 진한 용액 :

(2) (가)의 도구를 높이 뜨게 하는 방법 :

물체가 용액에 떠 있는 높이에 영향을 주는 것은 무엇인가요?

용액의 진하기에 따라 물체가 뜨는 위치는 어떻게 달라지나요?

용액의 진하기를 다르게 할 수 있는 방법은 무엇인가요?

04 일정한 양의 물에 많은 양의 용질을 빨리 녹여 진한 용액을 쉽게 만들 수 있는 제품을 개발하려고 합니다. 다음 〈보기〉 중 이 제품에 필요한 장치가 <u>아닌</u> 것을 고르고, 그렇게 생각한 이유를 적어보세요.

보기
- ㉠ 빠르게 저어 주는 장치
- ㉡ 용질을 차갑게 하는 장치
- ㉢ 용매를 뜨겁게 하는 장치
- ㉣ 용질의 크기를 작게 만드는 장치
- ㉥ 용액이 식지 않도록 온도를 유지하는 장치

손에 잡히는 문제 해결

용질이 녹는 빠르기에 영향을 주는 요인은 무엇인가요?

용질이 녹는 속도를 빠르게 하는 방법은 무엇인가요?

용질이 녹는 속도를 느리게 하는 방법은 무엇인가요?

융합사고력 키우기

STEAM

- ✓ Science
  - ▶ 농도
- ✓ Technology
  - ▶ 비중
- Engineering
- Art
- Mathematics

몸이 저절로 둥둥, 이스라엘 사해

이스라엘 예루살렘에서 버스로 1시간 정도 가면 사해(Dead Sea)에 닿는다. 저절로 몸이 뜨는 사해에 몸을 맡긴 채 여유롭게 둥둥 떠다니며 사해에서만 즐길 수 있는 이색 체험을 만끽할 수 있다.

사해는 이스라엘과 요르단에 걸쳐 있는 둘레 길이가 200 km나 되는 바다 같은 호수이다. 사해는 지구에서 가장 낮은 곳으로 해수면보다 421 m 낮다. 사해의 물은 요르단강으로부터 흘러들어오지만 다른 곳으로 흘러나가지 못한다. 게다가 낮이면 50 ℃까지 올라가는 뜨겁고 건조한 기후 때문에 많은 양의 물이 증발해 염분이 높아졌다. 사해의 염분 농도는 무려 31.5 %로 보통 바닷물의 7배가 넘는다. 그래서 생물들이 거의 살지 못해 사해, 죽음의 바다라는 이름을 얻게 됐다. 하지만 완벽하게 죽은 바다는 아니다. 소금을 먹고 사는 다양한 미생물과 열대어들이 살고 있기 때문이다.

사해에서는 어떻게 사람이 물에 뜰 수 있을까? 물의 비중을 보통 1이라고 하면 사람의 비중은 0.91~0.95이다. 일반적인 바닷물의 비중이 1.02~1.03이므로 사람은 강물보다 바닷물에서 떠 있는 것이 쉽다. 사해의 비중은 1.24이므로 몸이 더 잘 뜬다. 요르단강 상류에 대규모 관개 사업이 시행되어 사해로 흘러들어오는 물이 갈수록 줄어들고 있어 사해의 수면은 1년에 평균 80 cm 가량씩 낮아지고 있다. 현재와 같은 비율로 낮아진다면 얼마 안 가 사해는 바다는 커녕 소금밭으로 전락할지도 모른다. 지구에서 가장 낮은 곳에 위치한 바다가 머지않아 사라져 버릴지도 모른다.

사해

1 사해가 일반 바닷물보다 7배 정도 염분이 높은 이유를 적어보세요.

용어 풀이

- **비중(비교할 比, 무거울 重)**
  액체나 고체 물질의 무게를 물과 비교하여 나타낸 값
- **염분(소금 鹽, 나눌 分)**
  바닷물에 녹에 있는 염류(여러 가지 무기물)의 농도

2 같은 크기의 비커에 같은 양의 일반 바닷물과 사해의 물을 담은 뒤 비슷한 크기의 감자를 띄어보았습니다. 어떤 차이가 있을지 적어보세요.

일반 바닷물의 비중은 얼마인가요?

▼

사해 물의 비중은 어느 얼마인가요?

▼

비중은 물체의 뜨는 정도와 어떤 관련이 있나요?

논술형

3 2016년 11월 16일 전문 수영선수들이 7시간 넘게 헤엄쳐 처음으로 사해를 횡단했습니다. 사해의 수면이 매년 낮아지는 것을 전 세계에 알리기 위해서였습니다. 전문 수영선수들은 호흡기가 부착된 얼굴 전면을 모두 가리는 특수 마스크를 착용하고 30분마다 물을 마시면서 수영했습니다. 사해에서 수영할 때 물을 자주 마셔야 하는 이유를 적어보세요.

사해 수영

사해 물의 특징은 무엇인가요?

▼

전문 수영선수들이 얼굴 전면을 모두 가리는 특수 마스크를 쓴 이유는 무엇인가요?

▼

사해에 오랫동안 있으면 몸에 어떤 변화가 나타날까요?

탐구력 키우기

무지개 물탑 쌓기

설탕이 물에 녹은 정도에 따라 설탕물의 진하기가 달라지고, 진하기가 다른 설탕물은 물체를 띄우는 정도가 다릅니다. 진하기가 다른 설탕물을 이용하여 무지개 물탑을 만들어 보세요.

준비물

컵 7개, 막대 7개, 스포이트 7개, 설탕, 물, 시험관, 숟가락, 빨간색 물감, 주황색 물감, 노란색 물감, 초록색 물감, 파란색 물감, 남색 물감, 보라색 물감

탐구 과정

① A 용액을 만든다. : 물 100 mL+빨간색 물감
② B 용액을 만든다. : 물 100 mL+설탕 1 숟가락(5 g)+주황색 물감
③ C 용액을 만든다. : 물 100 mL+설탕 2 숟가락(10 g)+노란색 물감
④ D 용액을 만든다. : 물 100 mL+설탕 3 숟가락(15 g)+초록색 물감
⑤ E 용액을 만든다. : 물 100 mL+설탕 4 숟가락(20 g)+파란색 물감
⑥ F 용액을 만든다. : 물 100 mL+설탕 5 숟가락(25 g)+남색 물감
⑦ G 용액을 만든다. : 물 100 mL+설탕 6 숟가락(30 g)+보라색 물감
⑧ 시험관에 G 용액부터 A 용액 순서대로 스포이트를 이용하여 조심히 넣는다.

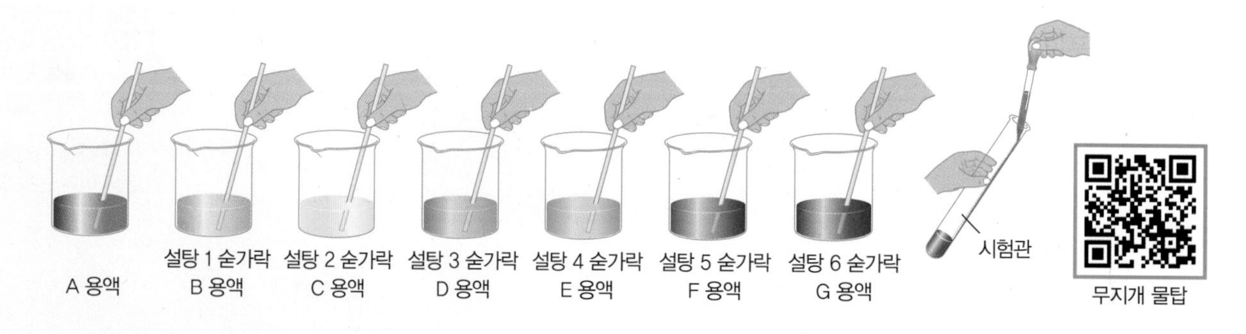

주의사항

- 설탕을 완전히 녹인다.
- 스포이트는 색깔별로 구분해서 사용한다.
- 시험관에 설탕물을 순서대로 넣는다.
- 설탕물이 시험관의 벽을 따라 천천히 흐르도록 넣는다.

정답 및 해설 12쪽

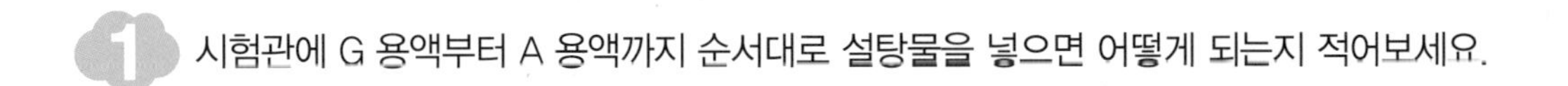
1 시험관에 G 용액부터 A 용액까지 순서대로 설탕물을 넣으면 어떻게 되는지 적어보세요.

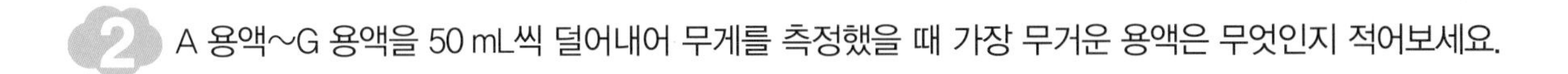
2 A 용액~G 용액을 50 mL씩 덜어내어 무게를 측정했을 때 가장 무거운 용액은 무엇인지 적어보세요.

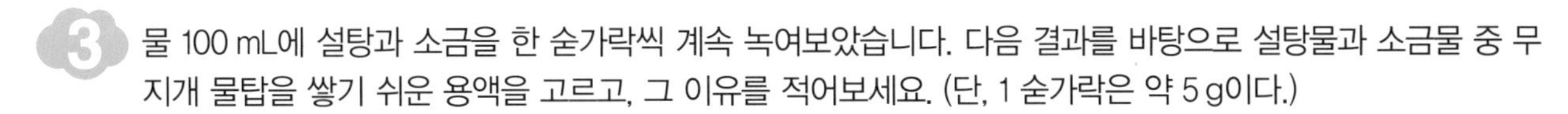
3 물 100 mL에 설탕과 소금을 한 숟가락씩 계속 녹여보았습니다. 다음 결과를 바탕으로 설탕물과 소금물 중 무지개 물탑을 쌓기 쉬운 용액을 고르고, 그 이유를 적어보세요. (단, 1 숟가락은 약 5 g이다.)

구분	1 숟가락	2 숟가락	3 숟가락	4 숟가락	5 숟가락	6 숟가락	7 숟가락
설탕	녹음	녹음	녹음	녹음	녹음	녹음	녹음
소금	녹음	녹음	녹음	잘 녹지 않음	녹지 않음	녹지 않음	녹지 않음

STEAM

4 볍씨는 한 해 농사의 성공과 실패를 결정짓는 중요한 것입니다. 농부는 아무리 배가 고파도 다음해 벼농사의 종자로 쓸 볍씨는 손대지 않았습니다. 농부들은 겉모습으로는 별 차이가 없는 속이 꽉 찬 볍씨와 쭉정이를 골라내기 위해 소금물을 이용합니다. 한 농부가 볍씨와 쭉정이를 구분하기 위해 소금물에 넣었더니 모두 떠버렸습니다. 볍씨와 쭉정이가 모두 뜬 이유와 좋은 볍씨와 쭉정이를 구분할 수 있는 방법을 적어보세요.

Ⅳ 다양한 생물과 우리 생활

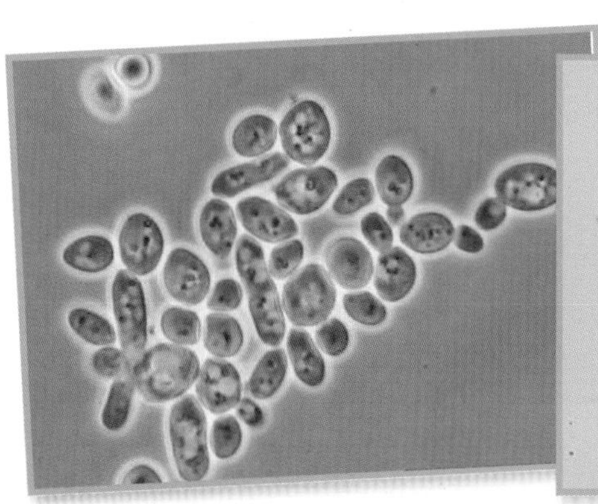
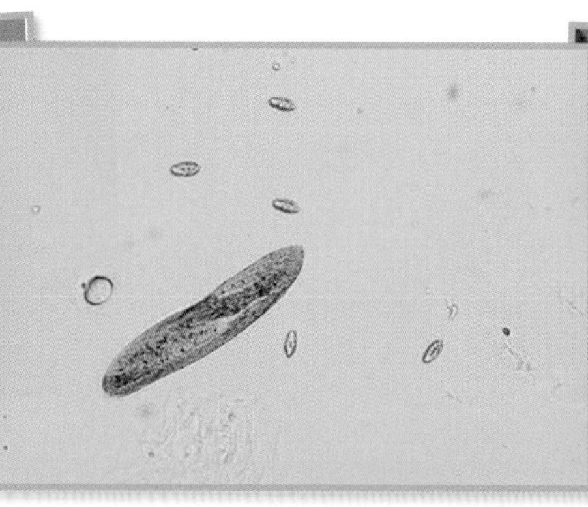
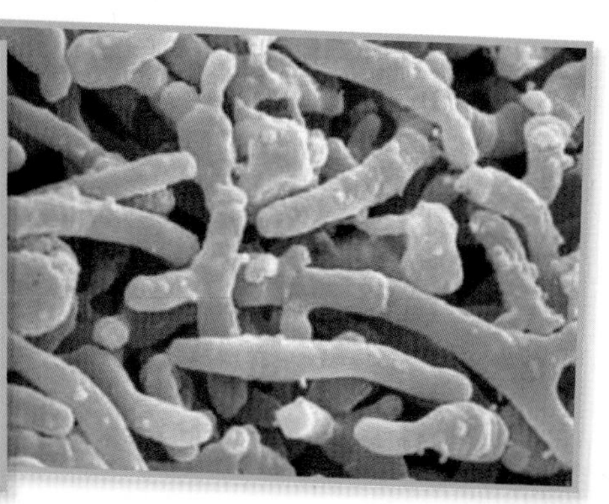

균류, 원생생물, 세균 등 다양한 생물의 특징과 사는 환경을 바탕으로 생물과 우리 생활의 관계를 알아보고 생물의 다양성을 이해한다. 생물이 우리 생활에 끼치는 영향을 이해하고 생물을 이롭게 활용하는 실례를 알아본다.

★ 2015 개정 교육과정 교과서

초등 5~6학년 군 :
5학년 1학기 5단원 다양한 생물과 우리 생활

★ 다른 학년과의 연계

초등 3~4학년 군 : 동물의 생활, 식물의 생활
중학교 1~3학년 군 : 생물의 다양성

버섯과 곰팡이, 해캄과 짚신벌레

07 균류와 원생생물

개념 더하기

● **실체 현미경**
- 작은 생물을 확대해서 볼 때 사용하는 현미경으로, 표본을 만들 필요가 없고 실제 물체를 재물대에 올려놓고 조명을 비춰 물체를 관찰한다.
- 대개 20배, 40배 정도의 배율로 확대해 관찰할 수 있다.

● **곰팡이 구조**
- 균사 : 몸은 보통 투명하고 길쭉한 균사로 되어있다.
- 포자 : 여러 갈래로 생장하는 균사 끝에 포자가 있고, 포자가 바람에 날려 조건이 알맞은 곳에 떨어지면 새로운 곰팡이가 생긴다. 곰팡이의 종류에 따라 포자의 배열 상태나 색깔이 다르다.

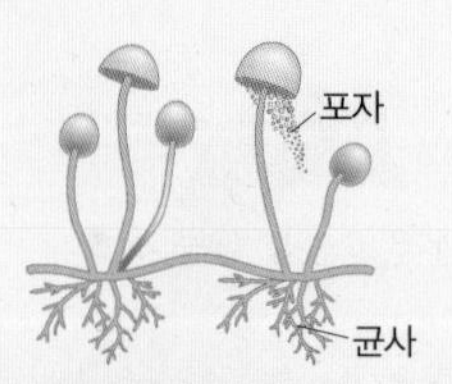

용어 풀이

- **배율(곱하기 倍, 비율 率)** 현미경으로 물체의 모습을 확대하는 정도
- **균사(버섯 菌, 실 絲)** 균류의 몸을 이루는 가는 실 모양의 세포
- **포자(세포 胞, 아들 子)** 식물이나 균류가 번식하기 위해 만드는 세포

정답

ⓐ 낮 ⓑ 가깝 ⓒ 초점
ⓓ 뭉쳐 ⓔ 결 ⓕ 균사

1 버섯과 곰팡이

1. 실체 현미경 사용 방법

① 실체 현미경 구조

접안렌즈
초점 조절 나사
대물렌즈
조명
조명 조절 나사
재물대

② 실체 현미경 사용법

- 대물렌즈의 배율을 가장 ⓐ____게 하고 관찰할 물체를 재물대에 올린다.

→ 전원을 켜고 조명 조절 나사로 빛의 양을 조절한다.

→ 초점 조절 나사를 조절하여 대물렌즈를 관찰할 물체에 최대한 ⓑ____게 내린다.

→ 접안렌즈로 보면서 대물렌즈를 천천히 올려 ⓒ____을 맞추어 관찰한다.

→ 대물렌즈의 배율을 높이고 초점 조절 나사로 초점을 맞추어 관찰한다.

→ 관찰 결과를 그림과 글로 기록한다.

2. 버섯과 곰팡이 관찰

물체	빵에 자란 곰팡이	느타리버섯
모습	포자, 균사	갓, 주름, 대
눈으로 관찰한 특징	• 여기저기 퍼져 있고 크기가 매우 작다. • 냄새가 난다. • 정해진 모양이 없이 ⓓ____ 있다. • 만지면 먼지처럼 흐트러진다.	• 윗부분은 갈색이고 아랫부분은 하얀색이다. • 곧게 뻗어 있고, 윗부분은 펼쳐져 있다. • 만지면 매끈하고, ⓔ____이 있다.
실체 현미경 관찰 방법	• 곰팡이가 자란 빵을 재물대에 올려 놓고 관찰한다.	• 버섯을 세로로 얇게 잘라 재물대에 올려 놓고 관찰한다.
실체 현미경으로 관찰한 특징	• 푸른색, 하얀색, 검은색 등 포자의 색이 다양하다. • 몸은 매우 가늘고 긴 실 모양 ⓕ____로 이루어져 있다.	• 결이 있다. • 윗부분 안쪽에 많은 주름이 있다. • 주름 속에 포자가 많다.

곰팡이와 버섯

3. 버섯과 곰팡이가 사는 환경

버섯	곰팡이
• 봄과 여름의 따뜻한 날씨 • 여름에 비가 온 뒤 • 나무 밑동 주변이나 낙엽이 쌓인 곳	• 계절에 관계없이 따뜻한 곳 • 축축하고 그늘진 곳

4. 균류

① 가늘고 긴 모양의 ⓐ______로 이루어져 있다.

② ⓑ______로 번식한다.

③ 스스로 양분을 만들지 못하고 다른 생물이나 죽은 생물에서 양분을 얻는다.

④ ⓒ______하고 ⓓ______한 환경에서 잘 자란다.

⑤ 곰팡이, 버섯, 효모 등이 있다.

5. 균류와 식물 비교

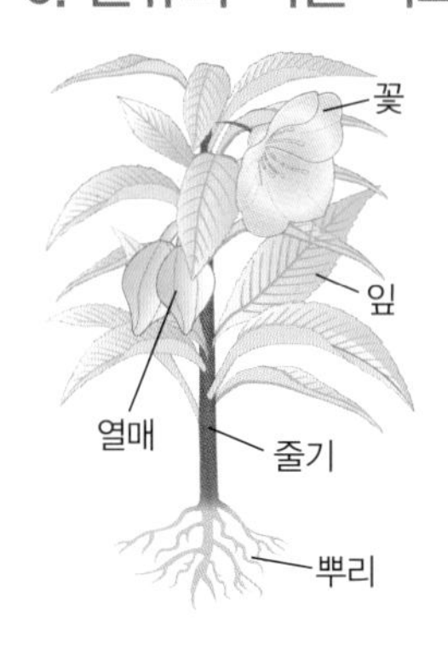

식물과 비슷한 점	• 물이 있어야 산다. • 한 장소에 고정되어 움직이지 못한다.
식물과 차이점	• 균사로 이루어져 있다. • 초록색이 아니다. • 광합성을 하지 못하여 스스로 ⓔ______을 만들지 못한다. • 뿌리, 잎, 줄기가 없다. • 꽃과 열매를 만들지 않는다.

더 알아보기 다양한 균류의 현미경 관찰

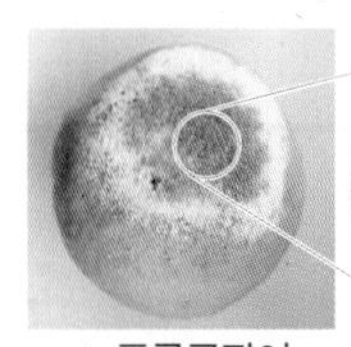
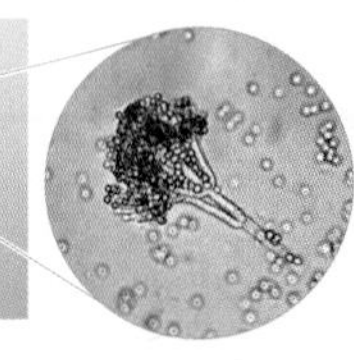
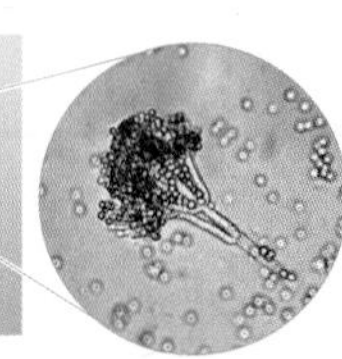
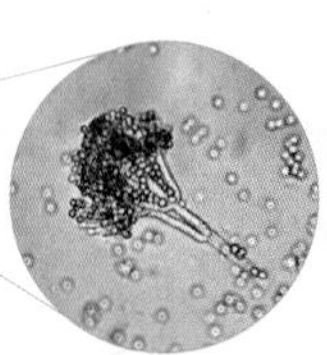
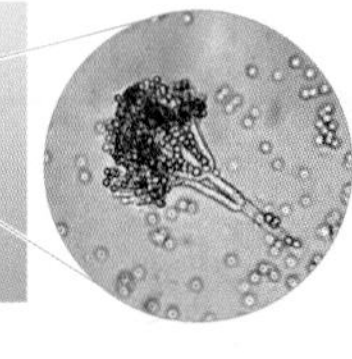
▲ 푸른곰팡이

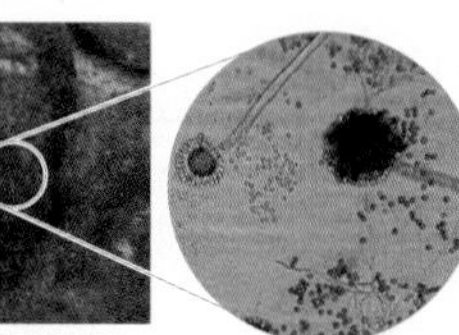
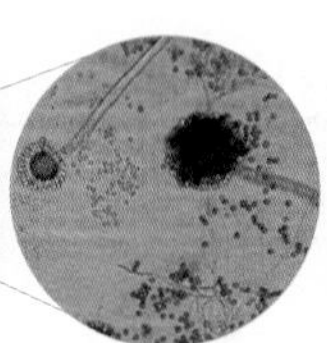

▲ 검은곰팡이

▲ 누룩곰팡이

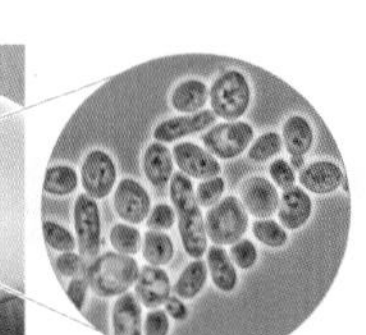
▲ 효모

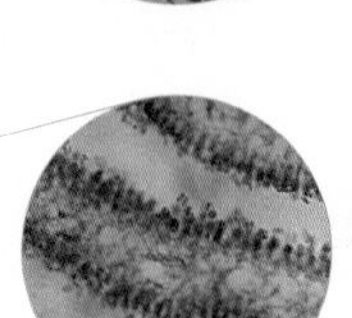
▲ 버섯 갓

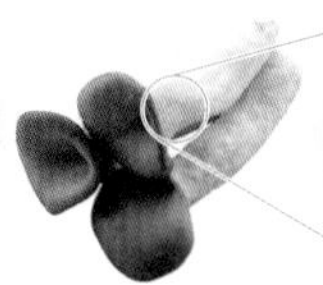
▲ 버섯 갓 안의 포자

개념 더하기

● 버섯이 잘 자라는 곳

▲ 나무 밑동

▲ 낙엽 쌓인 곳

● 곰팡이가 생기지 않게 하려면

• 음식물은 반드시 냉장고에 보관하고, 오래된 음식물은 버린다.
• 옷은 습기가 없도록 잘 말려 보관한다.
• 곰팡이 제거제를 사용한다.

용어 풀이

균류(버섯 菌, 무리 類) 스스로 양분을 만들지 못하고 양분이 있는 곳에 기생하여 생활하며 포자로 번식하는 식물

광합성(빛 光, 합할 合, 이룰 成) 잎 내부 엽록체에서 물, 햇빛, 이산화 탄소를 이용하여 양분을 만드는 작용

정답

ⓐ 균사 ⓑ 포자 ⓒ 따뜻 ⓓ 축축 ⓔ 양분

07 균류와 원생생물

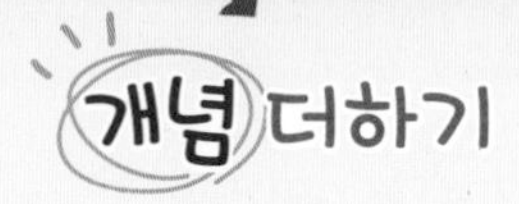

● **광학 현미경**
생물이나 물체를 자세히 보기 위해 표본을 만들어 관찰한다.

● **현미경의 배율**
접안렌즈 배율×대물렌즈 배율이다. 접안렌즈가 10배, 대물렌즈가 4배라면 물체를 40배로 확대해 관찰할 수 있다.

● **접안렌즈와 대물렌즈 배율**
접안렌즈는 길이가 짧을수록 배율이 높고, 대물렌즈는 길이가 길수록 배율이 높다.

용어 풀이

√ **짚신벌레**
단세포 생물로 물에 살며 작은 생물을 먹고 살아가는 생물

√ **표본**
현미경으로 관찰하고자 하는 물체를 받침 유리에 올려놓고 그 위에 덮개 유리를 덮어 만든 것

정답
ⓐ 낮 ⓑ 가깝 ⓒ 조동
ⓓ 미동 ⓔ 움직 ⓕ 움직

2 짚신벌레와 해캄

1. 광학 현미경 사용 방법

① 광학 현미경 구조

접안렌즈
회전판
대물렌즈
재물대
조리개
조명
조동 나사
미동 나사

② 광학 현미경 사용법

- 회전판을 돌려 배율이 가장 ⓐ____은 대물렌즈가 중앙에 오도록 한다.

→ 전원을 켜고 조리개로 빛의 양을 조절한다.
→ 표본을 재물대 가운데에 고정한다.
→ 옆에서 보면서 조동 나사로 재물대를 올려 표본과 대물렌즈의 거리를 최대한 ⓑ____게 한다.
→ ⓒ____ 나사로 재물대를 천천히 내리면서 접안렌즈로 상을 찾고, ⓓ____ 나사로 뚜렷하게 보이도록 초점을 맞춘다.
→ 대물렌즈의 배율을 높이고 미동 나사로 초점을 맞추어 관찰한다.
→ 관찰 결과를 그리거나 기록한다.

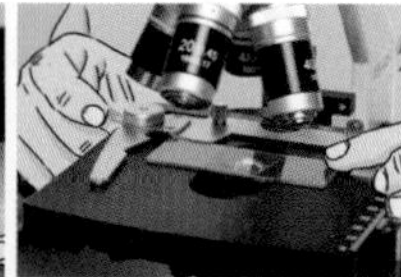

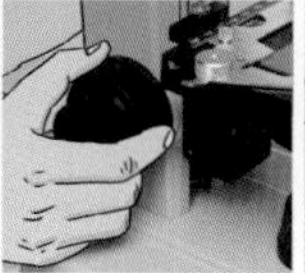
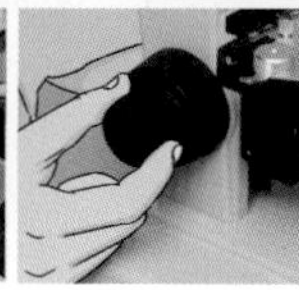

현미경 사용법

2. 짚신벌레 영구 표본 관찰

① 짚신벌레의 특징

광학 현미경으로 관찰한 모습	특징
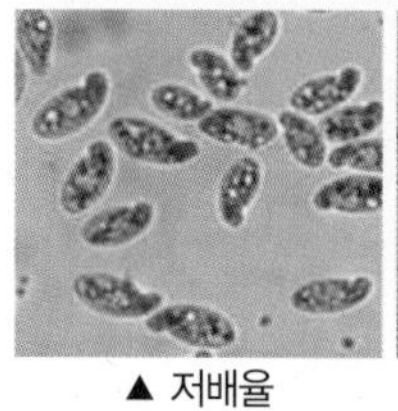 ▲ 저배율 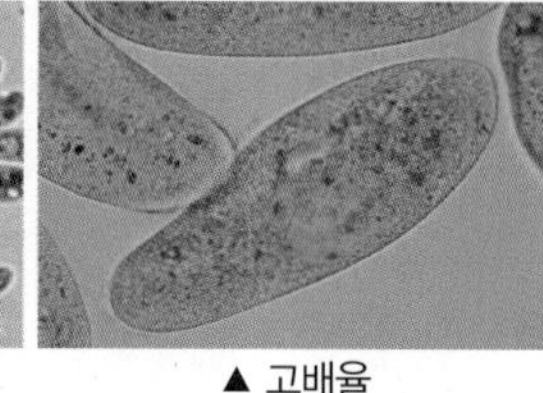 ▲ 고배율	• 크기가 매우 작아서 맨눈으로는 보이지 않는다. • 회색이다. • 끝이 둥근 원통 모양이다. • 스스로 헤엄치며 ⓔ____인다. • 움직일 수 있지만 다리는 없다.  짚신벌레

② 짚신벌레와 동물의 비교

비슷한 점	다른 점
• 스스로 ⓕ____인다. • 자라면서 크기가 커진다.	• 크기가 매우 작다. • 눈, 코, 입이 없다.

3. 해캄 표본 만들기 및 관찰

① **해캄 표본 만들기** : 해캄을 겹치지 않게 잘 펴서 받침 유리에 올려놓고 덮개 유리를 비스듬히 기울여 공기 방울이 생기지 않도록 천천히 덮는다.

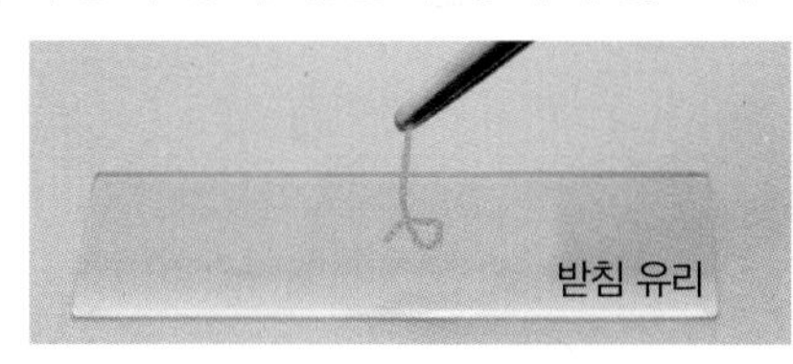

② 해캄의 특징

맨눈으로 관찰한 모습	실체 현미경으로 관찰한 모습
• ⓐ______색이다. • 한 줄의 가늘고 긴 머리카락 모양이다. • 여러 갈래가 얽혀 있다. • 미끈미끈하다.	• 움직이지 않는다. • 곧게 뻗어 있다. • 원기둥 모양이 한 줄로 길게 늘어서 있다. • 초록색 용수철 같은 모양이 보인다.

해캄

③ 해캄과 식물의 비교

비슷한 점	다른 점
• ⓑ______색이다. • 광합성을 하여 스스로 양분을 만든다. • 길게 뻗어 있다.	• 여러 갈래가 얽혀있다. • 가지가 없다.

4. 원생생물

① 동물, 식물, 균류에 속하지 않고 생김새가 단순한 생물이다.

② 주로 ⓒ____이 고인 곳이나 물살이 느린 하천에 산다.

③ 짚신벌레, 해캄, 반달말, 장구말, 유글레나, 종벌레, 아메바 등이 있다.

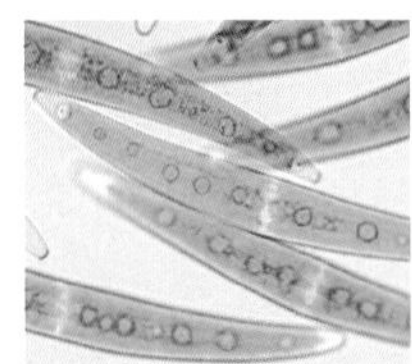
▲ 반달말

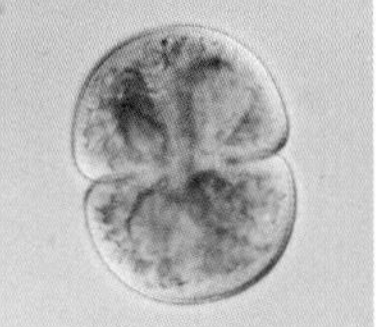
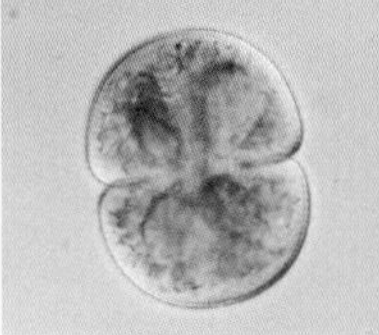
▲ 장구말

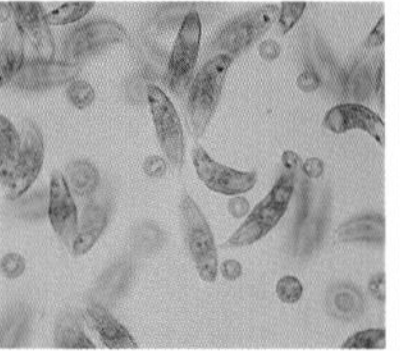
▲ 유글레나

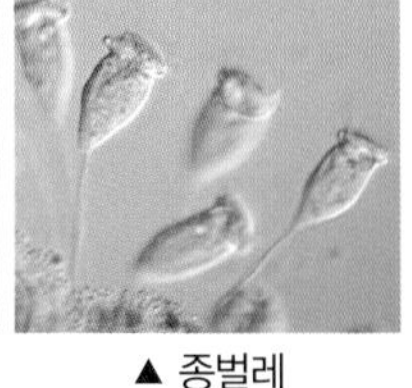
▲ 종벌레

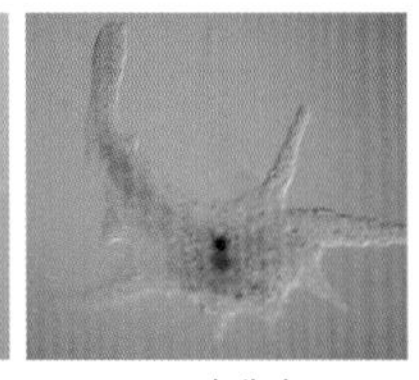
▲ 아메바

개념 더하기

● **원생생물**

해캄이나 짚신벌레와 같은 원생생물은 대부분 단세포 생물이며 핵을 가지고 있다. 매우 작아서 맨눈으로 볼 수 없고, 식물과 동물로 구분하기 힘들다.

용어 풀이

해캄
유속이 느린 곳에서 광합성을 하여 스스로 양분을 만들어 살아가는 생물

원생생물(근원 原, 날 生, 날 生, 만물 物)
동물, 식물, 균류에 속하지 않는 물에 사는 생물

정답 ⓐ 초록 ⓑ 초록 ⓒ 물

01 다음 중 실체 현미경으로 곰팡이를 관찰하는 과정을 순서대로 바르게 나열한 것은 어느 것입니까? ( )

> ㉠ 전원을 켜고 조명 조절 나사로 빛의 양을 조절한다.
> ㉡ 재물대에 관찰할 물체를 올린다.
> ㉢ 대물렌즈의 배율을 가장 낮게 한다.
> ㉣ 초점 조절 나사를 조절하여 대물렌즈를 천천히 올려 초점을 맞추어 관찰한다.
> ㉤ 대물렌즈의 배율을 높이고 초점 조절 나사로 초점을 맞추어 관찰한다.

① ㉠ → ㉡ → ㉢ → ㉣ → ㉤
② ㉡ → ㉠ → ㉢ → ㉣ → ㉤
③ ㉢ → ㉡ → ㉠ → ㉣ → ㉤
④ ㉢ → ㉡ → ㉠ → ㉤ → ㉣
⑤ ㉣ → ㉠ → ㉡ → ㉢ → ㉤

02 다음 중 버섯과 곰팡이에 대한 설명으로 옳지 않은 것은 어느 것입니까? ( )

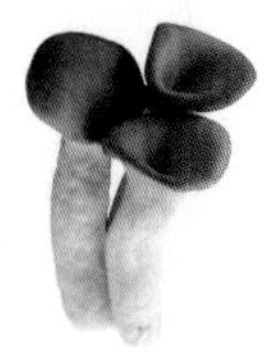
▲ 버섯

▲ 곰팡이

① 곰팡이는 균류이지만 버섯은 식물이다.
② 곰팡이는 만지면 먼지처럼 흐트러진다.
③ 버섯은 윗부분 안쪽에 많은 주름이 있다.
④ 버섯과 곰팡이는 스스로 양분을 만들지 못한다.
⑤ 곰팡이는 푸른색, 하얀색, 검은색 등 색깔이 다양하다.

03 다음 중 버섯과 곰팡이가 잘 자라는 환경에 대한 설명으로 옳은 것을 모두 고르세요. (,)

① 건조한 곳에서 잘 자란다.
② 햇볕이 강한 곳에서 잘 자란다.
③ 따뜻하고 축축한 환경에서 잘 자란다.
④ 온도가 낮고 그늘진 곳에서 잘 자란다.
⑤ 나무 밑동과 같이 양분이 있는 곳에서 잘 자란다.

04 다음 중 균류의 특징이 아닌 것은 어느 것입니까? ( )

① 씨앗으로 번식한다.
② 곰팡이, 버섯 등이 있다.
③ 따뜻하고 축축한 환경에서 잘 자란다.
④ 가늘고 긴 모양의 균사로 이루어져 있다.
⑤ 다른 생물이나 죽은 생물에서 양분을 얻는다.

05 다음 중 식물과 균류를 비교한 설명으로 옳은 것은 어느 것입니까? ( )

① 모두 초록색이다.
② 모두 햇빛을 이용하여 양분을 만든다.
③ 식물과 균류 모두 균사로 이루어져 있다.
④ 식물은 꽃과 열매가 있지만, 균류는 꽃과 열매가 없다.
⑤ 식물과 균류 모두 뿌리, 잎, 줄기, 꽃, 열매의 구조로 이루어져 있다.

정답 및 해설 13쪽

중요

06 다음 중 짚신벌레에 대한 설명으로 옳지 <u>않은</u> 것은 어느 것입니까? (　　)

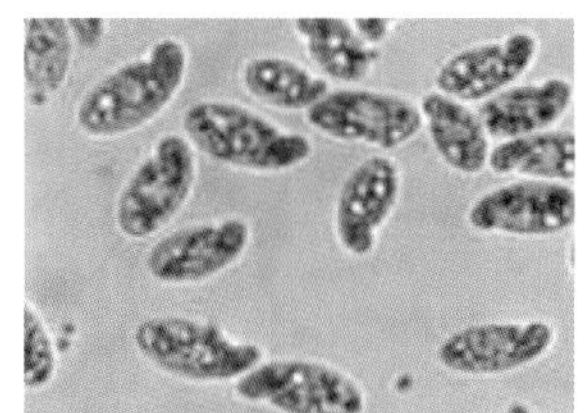
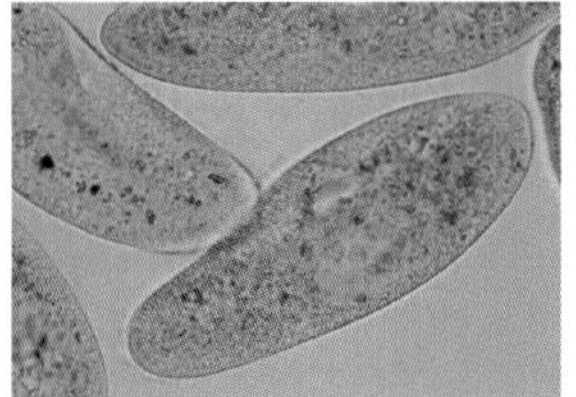

① 회색이다.
② 끝이 둥근 원통 모양이다.
③ 스스로 헤엄치며 움직인다.
④ 움직일 수 있는 다리가 있다.
⑤ 크기가 매우 작아서 맨눈으로는 보이지 않는다.

07 다음 중 광학 현미경으로 해캄을 관찰하는 과정을 순서대로 바르게 나열한 것은 어느 것입니까? (　　)

> ㉠ 해캄 표본을 재물대 가운데에 고정하고, 조동 나사를 돌려 해캄 표본과 대물렌즈의 거리를 최대한 가깝게 한다.
> ㉡ 받침 유리와 덮개 유리로 해캄 표본을 만든다.
> ㉢ 접안렌즈를 보며 조동 나사를 돌려 상을 찾은 후 미동 나사를 돌려 초점을 맞추어 관찰한다.
> ㉣ 관찰 결과를 그리거나 기록한다.
> ㉤ 대물렌즈의 배율을 가장 낮게 한다.

① ㉠ → ㉡ → ㉢ → ㉣ → ㉤
② ㉡ → ㉤ → ㉠ → ㉢ → ㉣
③ ㉢ → ㉠ → ㉡ → ㉣ → ㉤
④ ㉢ → ㉡ → ㉣ → ㉠ → ㉤
⑤ ㉤ → ㉣ → ㉠ → ㉡ → ㉢

08 다음 중 해캄에 대한 설명으로 옳지 <u>않은</u> 것은 어느 것입니까? (　　)

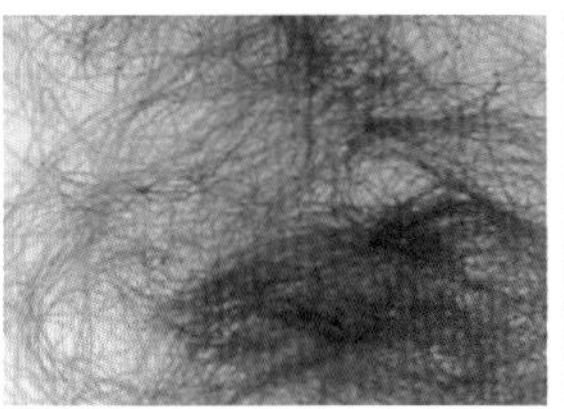
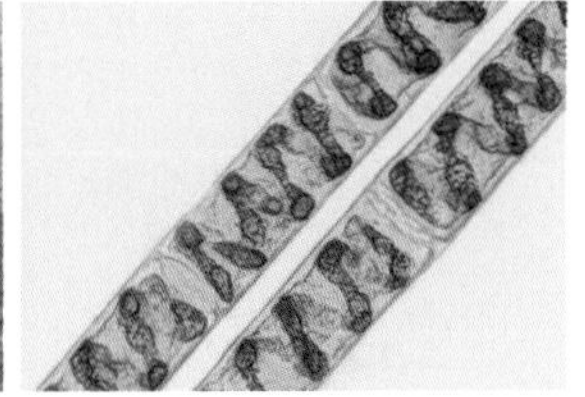

① 초록색이다.
② 곧게 뻗어 있다.
③ 스스로 헤엄쳐 움직인다.
④ 한 줄의 가늘고 긴 머리카락 모양이다.
⑤ 초록색 용수철 같은 모양이 보인다.

09 다음 중 해캄과 식물의 공통점으로 옳은 것을 <u>모두</u> 고르세요. (　　,　　)

① 뿌리가 있다.
② 색깔이 초록색이다.
③ 꽃이 피고 열매를 맺는다.
④ 다른 곳으로 쉽게 움직인다.
⑤ 햇빛을 이용하여 양분을 만든다.

10 다음 중 원생생물의 특징으로 옳지 <u>않은</u> 것은 어느 것입니까? (　　)

① 주로 물에서 산다.
② 짚신벌레, 해캄 등이 있다.
③ 따뜻하고 건조한 곳에서 잘 자란다.
④ 눈에 보이지 않을 정도로 매우 작다.
⑤ 동물, 식물, 균류에 속하지 않고 생김새가 단순하다.

01

다음은 우리 주변에서 볼 수 있는 버섯과 곰팡이의 모습입니다. 두 생물의 공통점을 두 가지 적어보세요.

손에 잡히는 문제 해결

우리 주변에서 버섯, 곰팡이를 볼 수 있는 곳은 어디인가요?

▼

두 생물은 어떤 방법으로 양분을 얻나요?

▼

두 생물은 어떤 방법으로 번식을 하나요?

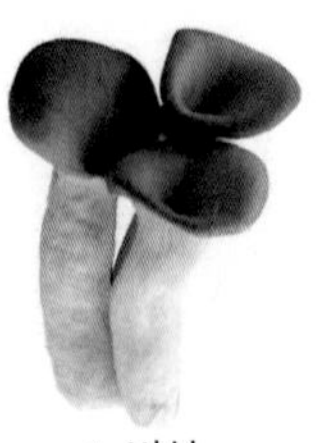
▲ 버섯

▲ 곰팡이

02

옷이나 음식물을 보관할 때 곰팡이가 생기지 않게 하는 방법을 곰팡이가 잘 자라는 환경과 연관지어 적어보세요.

손에 잡히는 문제 해결

옷이나 음식물에 곰팡이가 생기는 이유는 무엇인가요?

▼

옷은 주로 어떻게 보관하나요?

▼

음식물은 주로 어떻게 보관하나요?

[곰팡이가 잘 자라는 환경]

- 축축하고 그늘진 곳에서 잘 자란다.
- 계절에 관계없이 따뜻한 곳에서 잘 자란다.

(1) 옷을 보관할 때 :

(2) 음식물을 보관할 때 :

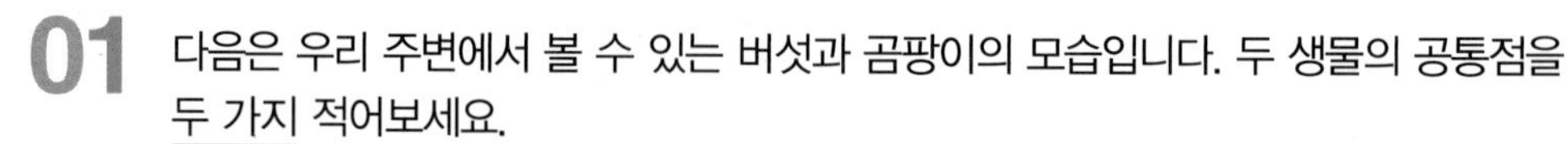

03 다음은 빵에 핀 곰팡이를 실체 현미경으로 관찰하는 방법을 나타낸 것입니다. 곰팡이를 관찰할 때 실체 현미경을 사용하면 좋은 점을 적어보세요.

〈실체 현미경으로 곰팡이를 관찰하는 방법〉

㉠ 대물렌즈를 가장 아래로 내린다.

㉡ 재물대에 페트리 접시에 담은 곰팡이를 올려놓는다.

㉢ 대물렌즈를 올리며 초점을 맞춘다.

㉣ 관찰 결과를 그리거나 기록한다.

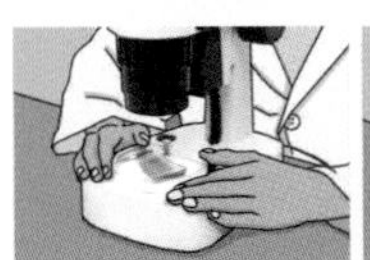

손에 잡히는 문제 해결

실체 현미경은 무엇인가요?

실체 현미경을 사용하면 맨눈으로 관찰할 때보다 어떤 점이 좋나요?

실체 현미경이 광학 현미경보다 간편한 점은 무엇인가요?

04 다음은 개와 현미경으로 관찰한 짚신벌레의 모습을 나타낸 사진입니다. 개와 짚신벌레의 공통점과 차이점을 각각 적어보세요.

▲ 개

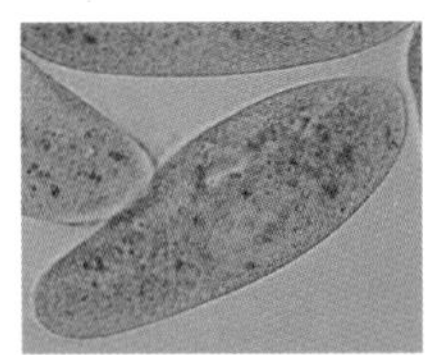
▲ 짚신벌레

공통점	차이점

손에 잡히는 문제 해결

개와 짚신벌레의 움직임은 어떤가요?

두 생물이 양분을 얻는 방법은 무엇인가요?

두 생물의 크기는 어떤가요?

융합사고력 키우기

STEAM

- [x] Science
  - ▶ 친환경 에너지
- [x] Technology
  - ▶ 혐기성 발효
- [x] Engineering
  - ▶ 소화조
- [ ] Art
- [ ] Mathematics

치즈 폐기물이 친환경 에너지로 전환

베스트 셀러였던 '누가 내 치즈를 옮겼을까'가 가르쳐 주는 교훈을 쉽게 요약하면 '변화'라고 할 수 있다. 주인공들은 없어진 치즈로 인해 새로운 치즈 창고를 찾아 나서야 하는 상황에 부딪친다. 때로는 현실에 안주하려는 모습도 보이지만, 결국은 변화하기로 하고, 다시 미로 속의 여러 곳을 헤매다 결국 치즈 창고를 발견한다.

그런데 실제로 치즈 때문에 고통을 받다가 변화를 통해서 예전의 문제를 해결하고 새로운 부가가치까지 창출한 사례가 있어 화제가 되고 있다. 신재생 에너지 전문 매체는 최근 뉴스를 통해 치즈 생산 농가에서 버려지는 폐기물을 에너지로 재활용하고 있다는 소식을 보도했다. 유가공 제품을 가공할 때 발생하는 부산물 찌꺼기는 기름기가 너무 많고 빨리 산성화되기 때문에 이용률이 낮아 매년 수백만 톤의 치즈 찌꺼기가 발생하는 농가에서는 이에 대한 처리로 골머리를 앓고 있었다.

구체적인 부신물 찌꺼기 처리 방식은 다음과 같다. 치즈 찌꺼기와 소 배설물을 섞은 다음 소화조에 투입한 뒤 미생물을 이용하여 혐기성 발효가 시작되면, 발효가 일어나는 과정에서 가스가 발생한다. 이때 발생하는 가스의 주성분은 메테인으로 지하에서 석유 에너지와 함께 분출되는 천연가스와 성분이 같다.

1 유제품 가공 시 발생하는 부산물 찌꺼기의 이용률이 낮은 이유를 적어보세요.

용어 풀이

- **신재생(새 新, 두 번 再, 날 生) 에너지**
  화석연료를 대체하는 새로운 에너지원
- **부가가치(붙을 附, 더할 加, 값 價, 값 値)**
  생산 과정에서 새로 덧붙인 가치
- **폐기물(버릴 廢, 버릴 棄, 물건 物)**
  못 쓰게 되어 버리는 물건
- **부산물(둘째 副, 만들 産, 물건 物)**
  주요 물품의 생산 과정에서 더불어 생기는 물건
- **소화조(사라질 소 消, 될 化, 구유 槽)**
  찌꺼기 속의 유기 물질이 세균의 작용으로 썩어 가스를 내보내며, 찌꺼기는 가라앉고 그 위에 물이 괴어 찌꺼기, 물, 가스로 분리하는 통
- **혐기성(싫어할 嫌, 기운 氣, 성품 性)**
  산소를 싫어하여 공기 속에서 잘 자라지 못하는 성질
- **발효(술 괼 醱, 삭힐 酵)**
  미생물에 의해 유기물이 분해되는 과정에서 우리 생활에 유용하게 사용되는 물질이 만들어지는 것
- **부패(썩을 腐, 패할 敗)**
  유기물이 미생물의 작용에 의해 악취를 내며 분해되는 현상

2 발효와 부패는 물질이 미생물에 의해 분해된다는 공통점이 있습니다. 발효와 부패의 차이점을 적어보세요.

발효란 무엇인가요?
▼
부패란 무엇인가요?
▼
두 현상의 공통점과 차이점은 무엇인가요?

논술형

3 김치는 발효를 이용한 대표적인 우리나라 전통 음식입니다. 김치의 발효 현상에는 유산균이 관여합니다. 김치가 숙성 온도에 따라 맛이 달라지는 이유를 추리하여 적어보세요.

손에 잡히는 STEAM

김치는 어떤 현상을 이용한 것인가요?
▼
김치 발효에는 무엇이 관여하나요?
▼
여러 생물이 활동하는 환경은 동일한가요?

이로운 영향과 해로운 영향을 주는

08 세균, 생물과 우리 생활

1 세균

1. 세균의 특징과 하는 일

① 세균의 특징

- 하나의 세포로 이루어져 있다.
- 크기가 작아 맨눈으로는 볼 수 없다.
- 균류나 원생생물보다 크기가 작고 단순한 생김새의 생물이다.
- 스스로 ⓐ______을 만들지 못하기 때문에 땅, 물, 공기, 동식물, 사람의 몸속 등에서 양분을 얻어 살아간다.
- 살기에 적절한 조건이 되면 짧은 시간 안에 많은 수로 늘어날 수 있다.

② 여러 가지 세균의 모습

- 공 모양, 막대 모양, 나선 모양, 꼬리가 있는 세균 등 다양하다.
- 하나씩 따로 떨어져 있거나 여러 개가 서로 연결되어 있기도 하다.

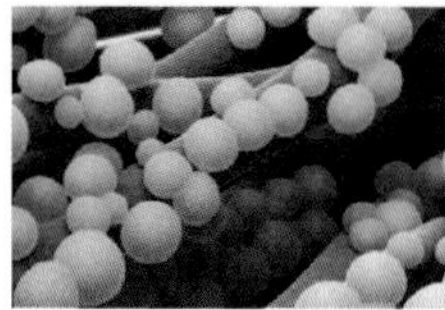
▲ 공 모양 세균

▲ 막대 모양 세균

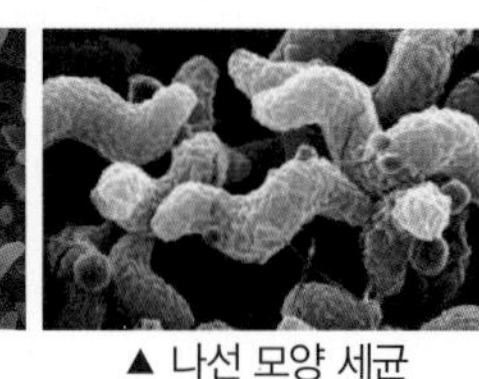
▲ 나선 모양 세균

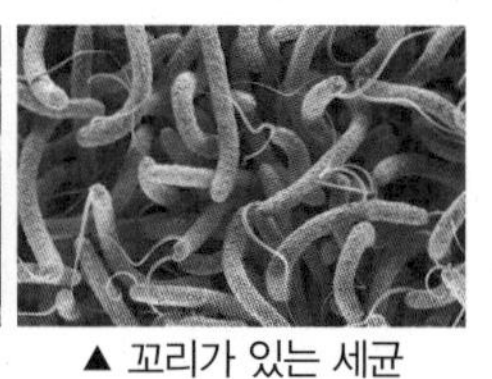
▲ 꼬리가 있는 세균

③ 세균이 사는 환경

- 우리 주변 어느 곳에서나 산다.
- 생명력이 강하여 다른 생물이 살기 어려운 환경에서도 산다.

④ 세균이 하는 일

- 김치와 같은 음식을 만드는 데 영향을 끼친다.
- 음식 등을 ⓑ______게 한다.
- 생물에게 ⓒ______을 일으키게 한다.
- 죽은 동물이나 낙엽 등을 작게 ⓓ______하여 자연으로 되돌려 지구 환경이 유지되는 데 영향을 끼친다.

2. 우리 주변에 세균이 있다는 것을 확인할 수 있는 방법

① 배율이 높은 현미경으로 관찰한다.
② 세균의 수를 측정하는 장치를 사용한다.
③ 우유 등 음식이 상하는 것을 통해 알 수 있다.
④ 배지를 사용하여 맨눈으로 확인한다.
⑤ 질병에 걸리는 것을 통하여 알 수 있다.

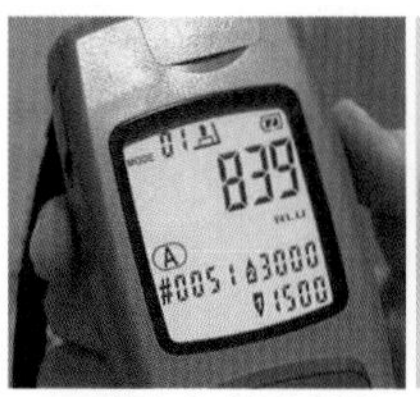
▲ 세균 수 측정 장치

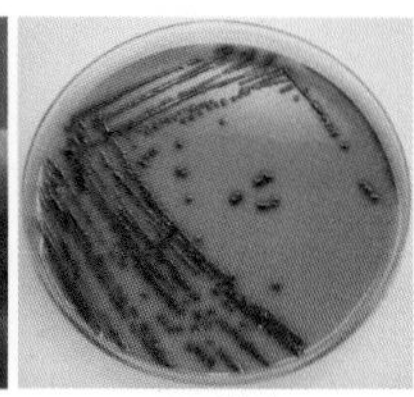
▲ 배지

개념 더하기

● 세균
몸이 하나의 세포로 이루어진 가장 작고 하등한 생물로 박테리아라고도 한다. 현재 약 2000여 종이 알려져 있다. 크기는 보통 1~5 μm이며, 양분이 있는 곳에서 기생한다.

● 세균과 바이러스
- **세균** : 하나의 세포로 이루어진 생물이다.
- **바이러스** : 생물인지 무생물인지 애매하다. 우리 몸에서 질병을 일으킬 수 있고, 크기는 세균보다 매우 작다.

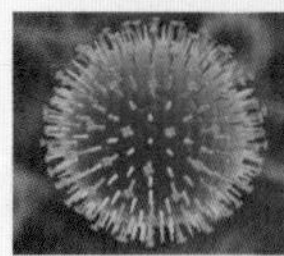
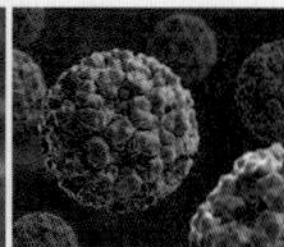
▲ 독감 바이러스

용어 풀이

배지(북돋을 培, 땅 地)
미생물을 인공적으로 기르는 데 쓰는 영양물

정답
ⓐ 양분 ⓑ 상하 ⓒ 질병 ⓓ 분해

2 다양한 생물과 우리 생활

1. 다양한 생물이 우리 생활에 미치는 영향

① 이로운 영향

버섯	• 동물의 배설물, 죽은 동물, 낙엽 등을 ⓐ______하여 자연으로 되돌려 준다.
곰팡이	• 된장, 치즈 등의 여러 가지 ⓑ______ 을 만드는 데 도움을 준다. • 해로운 세균을 물리쳐 건강에 도움을 준다.
세균	• 김치, 요구르트, 치즈 등 여러 가지 음식을 만드는 데 도움을 준다. • 우리 몸에는 이로운 세균이 있어 해로운 세균으로부터 건강을 지켜준다. 예 유산균
해캄	• 산소를 만들어 다른 생물이 살아가는 데 도움을 준다. • 물에서 사는 다른 생물의 먹이가 된다.

▲ 썩은 나무를 분해하는 버섯

▲ 메주에 생긴 누룩곰팡이

▲ 김치 속 유산균

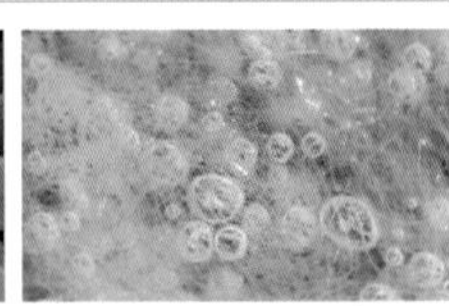
▲ 해캄이 만든 산소

② 해로운 영향

세균, 곰팡이	• 식물에게 병을 일으킨다. 예 감자 마름병, 포도입고병 등 • 동물과 사람에게 ⓒ______을 일으킨다. 예 콜레라, 장티푸스, 탄저병, 장염 등 • 우리가 먹는 음식을 상하게 하거나 우리 주변의 물건을 망가뜨린다.
버섯	• 어떤 종류의 버섯은 독이 있어 잘못 먹으면 위험할 수 있다.
원생생물	• 하천에서 녹조류와 남조류가 크게 늘어나 물빛이 녹색이 되는 녹조를 일으킨다. • 플랑크톤이 엄청나게 번식하여 바다나 강의 색깔이 붉게 바뀌는 적조를 일으킨다.

▲ 감자 마름병

▲ 독버섯

▲ 녹조

▲ 적조

★생활 속 과학 발효와 부패

① **발효** : 미생물이 자신이 가지고 있는 효소를 이용하여 음식물(유기물)을 분해하여 향이 좋고 먹을 수 있는 맛과 영양가를 지니는 물질을 만드는 과정이다.

② **부패** : 발효와 같이 미생물이 음식물(유기물)을 분해하는 과정이지만, 부패로 생긴 물질은 악취와 식중독을 일으켜 사람이 먹을 수 없다.

개념 더하기

● **발효**
균류, 세균 등이 여러 가지 물질을 분해하는 과정에서 사람에게 이롭게 쓰일 수 있는 물질을 만드는 것이다. 균류, 세균 등은 다양한 발효 음식을 통하여 사람에게 영양분을 공급해 준다. 발효 음식에는 김치, 된장, 간장, 젓갈, 치즈, 요구르트 등이 있다.

● **해캄의 광합성**
해캄은 빛을 이용하여 스스로 양분과 산소를 만든다. 이 과정을 광합성이라고 한다. 해캄이 만든 산소는 다른 생물이 살아가는 데 도움이 된다.

용어 풀이

미생물(작을 微, 날 生, 물건 物) 눈으로는 볼 수 없는 아주 작은 생물

유기물(있을 有, 틀 機, 물건 物) 생명체를 이루며, 생체 안에서 생명력에 의하여 만들어지는 물질

정답 ⓐ 분해 ⓑ 음식 ⓒ 질병

08 세균, 생물과 우리 생활

2. 다양한 생물의 이용

① 이로운 영향을 크게 하는 방법

- 곰팡이를 활용하여 된장, 간장과 같은 ⓐ______ 음식을 만들어 먹는다.
- 김치, 요구르트와 같은 음식을 만들어 먹는다.

② 해로운 영향을 작게 하는 방법

- 손과 발 등을 깨끗이 씻어 위생을 관리한다.
- 곰팡이가 자라거나 상한 음식은 먹지 않는다.
- 상하기 쉬운 음식은 냉장고에 보관한다.

3. 곰팡이나 세균이 사라진다면

① 발효 음식을 먹을 수 없다.

② 몸에 해로운 세균들이 사라져서 감기 등의 질병에 걸릴 확률이 적어진다.

③ 생태계에서 죽은 동식물들의 사체가 분해되지 않는다.

④ 생태계의 순환에 큰 역할을 하는 생물(분해자)이 없어져 생태계가 파괴된다.

4. 질병에 걸렸을 때 주의할 점

① 질병에 걸렸을 때 대처 방법

- 질병에 걸리면 빠른 시간 안에 치료를 받는다.
- 전염되는 질병에 걸렸을 때는 다른 사람과 떨어져 지내며 치료를 받는다.

② 질병에 걸리지 않기 위한 방법

- ⓑ____________를 제때 맞는다.
- ⓒ____을 깨끗이 씻는다.
- 음식을 골고루 먹고 규칙적인 ⓓ______을 한다.

★더 알아보기 유익한 세균, 유산균

사람의 몸속에는 다양한 세균이 살고 있다. 이중 창자 속에 살고 있는 세균은 우리 몸에 해로운 세균도 있지만, 우리 몸에 이로운 세균도 있다. 창자 속 세균 사이의 균형이 깨지면 대장 질환, 알레르기, 암 등의 다양한 질병이 일어날 수 있다. 유산균은 창자 속에 살면서 우리 몸에 해로운 균을 물리치고 건강을 유지하는 데 도움을 주는 이로운 균을 통틀어 일컫는 말이다. 세계보건기구에서는 비피두스균, 락토바실러스균 등을 유산균으로 지정하고 있다. 과일이나 채소 또는 유산균이 많이 들어 있는 김치, 요구르트 등의 음식을 먹으면 창자 속에 유산균이 많이 살게 되어 건강에 도움이 된다.

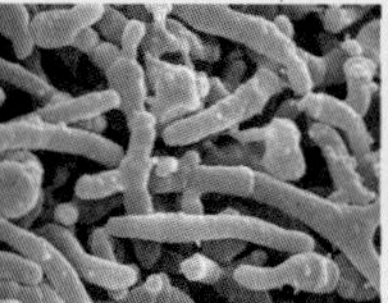
▲ 비피두스균

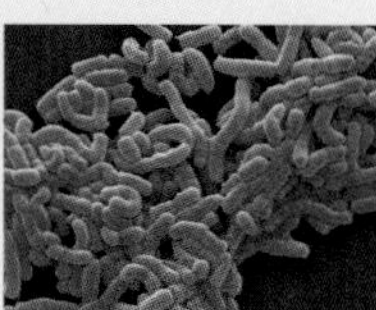
▲ 락토바실러스균

개념 더하기

● 분해자

죽은 생물을 분해하여 다른 생물이 이용할 수 있게 해 주는 생물로, 버섯, 곰팡이, 세균 등이 있다. 분해자에 의하여 분해된 물질은 흙 속의 양분이 되고, 생산자는 이 양분을 이용해서 필요한 양분을 만든다. 분해자가 없다면 지구는 죽은 동식물로 가득 차고, 동물의 배설물이나 사체가 분해되지 않는다. 또한, 흙에 거름이 부족해져서 식물이 잘 자라지 못하게 되고 결국 동물의 먹이도 부족해져서 생태계가 큰 위험에 빠질 수 있다.

● 예방주사

백혈구는 방어물질을 만들어 우리 몸을 지켜주는데 한번 만났던 병원체(질병을 일으키는 세균이나 바이러스)를 기억해 두었다가 다시 만나면 빠르게 방어물질을 만들어 병원체를 쉽게 이긴다. 따라서 수두나 홍역 같은 질병들은 한번 걸리면 다시는 걸리지 않는다. 예방 주사는 병에 걸리지 않을 정도로 약하게 만든 병원체를 우리 몸에 주사하여 그 질병에 걸리지 않고도 백혈구가 미리 대비하도록 하게 한다.

용어 풀이

예방(미리 預, 막을 防)
미리 대처하여 막는 일

정답

ⓐ 발효 ⓑ 예방주사 ⓒ 손 ⓓ 운동

3 첨단 생명 과학과 우리 생활

1. 첨단 생명 과학

① **생명 과학** : 생명 현상이나 생물의 특징을 연구하거나 이를 통해 알게 된 사실을 우리 생활에 활용하는 것

② **첨단 생명 과학** : 최신의 생명 과학 기술이나 연구 결과를 활용하여 일상생활에서 일어나는 다양한 문제를 해결하는 것

2. 첨단 생명 과학이 우리 생활에 활용되는 예

균류	• 세균을 없애는 푸른곰팡이를 이용하여 ⓐ______을 치료한다.
원생생물	• 영양소가 풍부한 유산균을 이용하여 ⓑ__________을 만든다. • 물질을 분해하는 원생생물을 음식물 ⓒ________를 분해하는 데 이용한다.
세균	• 오염 물질을 분해하는 세균을 이용하여 ⓓ______ 처리를 한다. • 플라스틱 원료를 가진 세균을 이용하여 플라스틱 제품을 만든다.

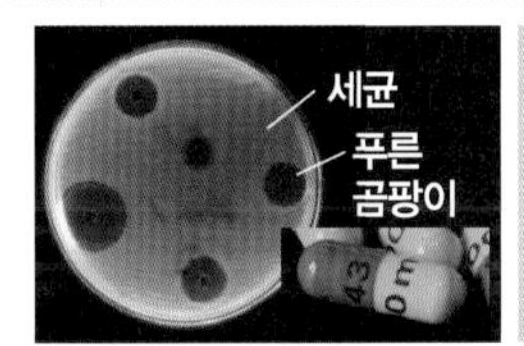

▲ 푸른곰팡이 항생제

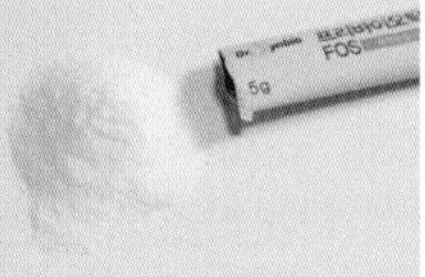
▲ 유산균 건강식품

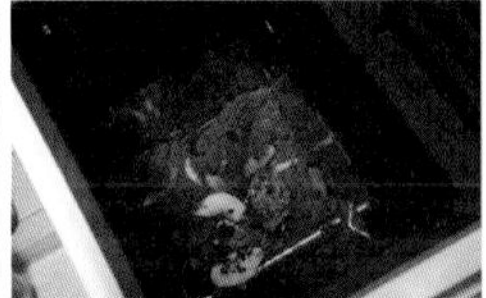
▲ 음식물 쓰레기 분해

▲ 세균으로 만든 플라스틱

★더 알아보기 생명 과학과 우리 생활

- 하수 처리장 : 오염 물질을 작게 분해하는 특성이 있는 곰팡이와 세균을 하수를 처리하는 데 이용한다.
- 생물 농약 : 화학 물질로 만든 농약 대신 사람에게 질병을 일으키지 않고 해충에게만 질병을 일으키거나 해충이 싫어하는 물질을 만드는 곰팡이와 세균을 활용하여 농작물에 질병과 해충이 생기지 않도록 막는다. 인체에 안전하고 토양을 오염시키지 않아 환경 문제가 적다.
- 생물 연료 : 해캄 등의 생물이 가진 양분을 활용하여 만든 연료이다. 화석 연료보다 이산화 탄소를 적게 배출하고 빠르게 대량 생산이 가능하여 신재생 에너지로 주목받고 있다.
- 당뇨병 치료 약 : 짧은 시간 안에 매우 많은 수로 늘어나는 세균(대장균)을 이용하여 당뇨병을 치료하기 위한 약을 대량 생산한다.
- 스키장의 인공 눈 : 물이 얼음으로 얼기 쉽도록 도와주는 물질을 가진 세균을 이용하여 춥지 않은 날씨에도 인공으로 눈을 만들어 스키를 즐길 수 있다.
- 석유 정화 : 세균을 활용하여 바다에 유출된 석유를 정화한다.
- 중금속 오염 방지 : 곰팡이를 활용하여 중금속 오염을 막는다.

▲ 인공 눈

개념 더하기

● **페니실린의 발견과 상용화**

플레밍은 포도상구균을 배양하던 배지에서 곰팡이가 핀 주변에 포도상구균이 죽어 있는 것을 발견하였다. 곰팡이에서 나온 물질이 세균을 죽인 것이다. 플레밍은 푸른곰팡이를 이용하여 세균을 죽이는 실험을 계속했지만, 항생제로서의 약품을 개발하는 데는 실패했다. 플로리와 체인은 플레밍의 실험 결과를 바탕으로 페니실린에서 불순물을 없애고 대량 생산하여 환자 치료에 적용하였다.

용어 풀이

- **첨단(뾰족할 尖, 처음 端)** 맨 앞
- **항생제(막을 抗, 날 生, 약제 劑)** 질병을 일으키는 세균과 같은 미생물이 살아갈 수 없도록 막는 데 사용하는 약

정답

ⓐ 질병 ⓑ 건강식품 ⓒ 쓰레기 ⓓ 하수

개념기르기

신유형

01 다음에서 설명하는 것은 무엇입니까? (　　)

- 질병을 일으키거나 음식을 상하게 하는 원인이 된다.
- 하나의 세포로 되어 있는 매우 단순한 형태의 생물이다.
- 스스로 양분을 만들지 못하기 때문에 땅, 물, 공기, 동식물, 사람의 몸속 등에서 양분을 얻으며 살아간다.

① 식물　② 해캄　③ 세균
④ 바이러스　⑤ 짚신벌레

중요

02 다음 중 세균의 특징으로 옳지 않은 것을 모두 고르세요. (　　)

① 생물이 아니다.
② 눈으로 볼 수 없다.
③ 질병을 일으키기도 한다.
④ 죽은 생물을 작게 분해한다.
⑤ 우리 생활에 해로운 영향만 미친다.

03 다음 중 우리 주변에 세균이 있다는 것을 확인할 수 있는 방법으로 옳지 않은 것은 어느 것입니까? (　　)

① 실체 현미경으로 관찰한다.
② 음식이 상하는 것을 통해 알 수 있다.
③ 배지를 사용하여 맨눈으로 확인한다.
④ 질병에 걸리는 것을 통해 알 수 있다.
⑤ 세균의 수를 측정하는 장치를 사용한다.

04 다음 중 생물이 우리 생활에 미치는 해로운 영향으로 옳지 않은 것은 어느 것입니까? (　　)

① 어떤 종류의 버섯은 독이 있어 먹으면 위험하다.
② 우리 몸에는 이로운 세균이 있어 해로운 세균으로부터 건강을 지켜준다.
③ 곰팡이가 음식을 상하게 하거나 우리 주변의 물건을 망가뜨린다.
④ 세균이 여러 가지 질병을 일으킨다.
⑤ 하천이나 바다에서 원생생물이 크게 늘어나 녹조나 적조가 일어난다.

05 다음 중 생물이 우리 생활에 미치는 이로운 영향을 바르게 설명한 것은 어느 것입니까? (　　)

① 음식을 상하게 한다.
② 전염병을 일으킬 수 있다.
③ 식중독을 일으킬 수 있다.
④ 조류 독감을 일으킬 수 있다.
⑤ 세균 감염을 치료하는 항생제로 쓰인다.

06 다음 중 곰팡이나 세균과 같은 작은 생물을 이용하여 만든 유익한 음식을 모두 고르세요. (　,　)

① 두부　② 된장　③ 김치
④ 우유　⑤ 콩기름

07 곰팡이, 세균 등과 같은 생물이 사라졌을 때 예상되는 변화로 알맞지 않은 것은 어느 것입니까? (　　)

① 발효 음식을 먹을 수 없다.
② 생태계의 순환에 큰 역할을 하는 생물들이 없어져 생태계가 파괴된다.
③ 생태계에서 죽은 동식물들의 사체가 분해되지 않는다.
④ 몸에 해로운 세균들이 사라져서 감기 등의 질병에 걸릴 확률이 적어진다.
⑤ 곰팡이, 세균 등과 같은 생물들이 사라져도 생태계에 미치는 영향은 거의 없다.

08 다음 중 세균에 의한 질병에 걸렸을 때 대처 방법으로 옳은 것을 모두 고르세요. (　　,　　)

① 빠른 시간 내에 치료를 받는다.
② 곰팡이가 핀 음식을 약으로 먹는다.
③ 다른 사람들과의 접촉을 되도록 피한다.
④ 질병에 걸린 것을 숨기고 사람이 많은 곳에 간다.
⑤ 전염되는 질병에 걸렸을 때 다른 사람과 함께 치료를 받는다.

09 다음 중 세균으로부터 건강을 지키는 방법으로 옳지 않은 것은 어느 것입니까? (　　)

① 손을 깨끗이 씻는다.
② 좋아하는 음식만 골라 먹는다.
③ 운동을 하여 건강을 유지한다.
④ 육류와 어패류는 완전히 익혀 먹는다.
⑤ 여러 사람이 쓰는 물건은 살균과 소독을 한다.

중요

10 다음 중 최신의 생명 과학 기술이나 연구 결과를 활용하여 일상생활에서 일어나는 다양한 문제를 해결하는 것을 무엇이라고 합니까? (　　)

① 우주 과학　　② 생명 과학
③ 융합 과학　　④ 자연 과학
⑤ 첨단 생명 과학

11 다음 중 세균 감염을 치료하는 항생제인 페니실린을 만드는 데 이용되는 생물은 어느 것입니까? (　　)

① 세균　　② 효모　　③ 유산균
④ 바이러스　　⑤ 푸른곰팡이

12 다음 중 첨단 생명 과학이 활용되는 예로 옳지 않은 것은 어느 것입니까? (　　)

① 된장으로 여러 가지 음식을 만든다.
② 유산균을 이용하여 건강식품을 만든다.
③ 플라스틱 원료를 가진 세균으로 플라스틱을 만든다.
④ 세균을 자라지 못하게 하는 푸른곰팡이로 질병을 치료한다.
⑤ 오염 물질을 분해하는 세균을 이용하여 하수의 해충과 냄새를 없앤다.

서술형으로 다지기

손에 잡히는 문제 해결

세균은 주로 어떤 역할을 하나요?

여러 가지 세균 중 유익한 영향을 주는 것은 무엇인가요?

세균이 우리 몸에 들어오는 방법은 무엇인가요?

01 우리 눈에 보이지 않는 세균은 우리 건강에 영향을 미칩니다. 다음 여러 가지 세균 중 건강에 해로운 영향을 주는 것을 모두 고르고, 이러한 작은 생물로부터 건강을 지키기 위한 방법을 두 가지 적어보세요.

효모, 유산균, 식중독균, 푸른곰팡이, 폐렴균

(1) 건강에 해로운 영향을 주는 생물 :

(2) 작은 생물로부터 건강을 지키기 위한 방법 :

손에 잡히는 문제 해결

우리 몸에서 유산균이 살고 있는 곳은 어디인가요?

창자 속 세균의 균형이 깨지면 어떤 현상이 나타나나요?

유산균이 많이 있는 음식은 무엇인가요?

02 다음은 우리 몸속의 유산균을 전자 현미경으로 관찰한 것입니다. 유산균이 우리 건강에 주는 이로운 점과 우리 몸속에 유산균을 많이 살게 하는 방법을 적어보세요.

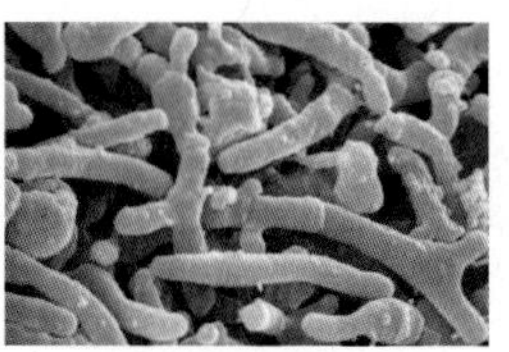

▲ 비피두스균

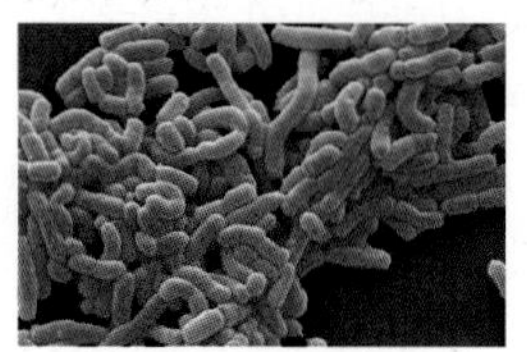

▲ 락토바실러스균

(1) 유산균이 우리 건강에 주는 이로운 점 :

(2) 우리 몸속에 유산균을 많이 살게 하는 방법 :

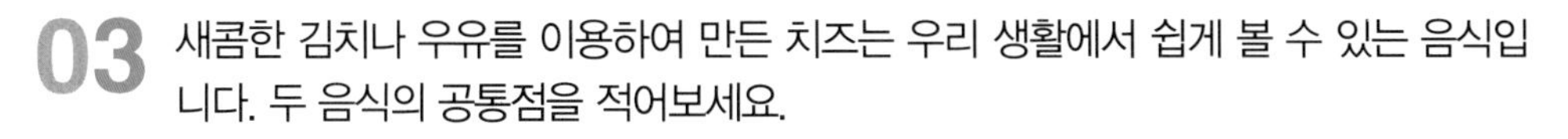

03 새콤한 김치나 우유를 이용하여 만든 치즈는 우리 생활에서 쉽게 볼 수 있는 음식입니다. 두 음식의 공통점을 적어보세요.

손에 잡히는 문제 해결

김치에서 새콤한 맛이 나는 이유는 무엇인가요?

▼

치즈는 어떻게 만들어지나요?

▼

김치의 새콤한 맛을 내는 원인과 치즈를 만드는 과정에서 공통으로 작용하는 것은 무엇인가요?

논술형

04 승우는 세균은 음식을 상하게 하고 우리 몸에 질병을 일으키므로 해로운 생물이라고 생각합니다. 승우의 생각이 옳은지 그른지 판단하고 이유를 서술하시오.

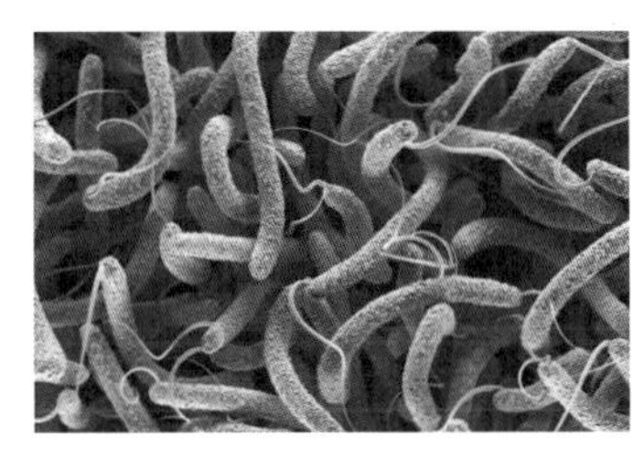

손에 잡히는 문제 해결

세균이 우리 생활에 미치는 해로운 점은 무엇인가요?

▼

세균이 우리 생활에 미치는 이로운 점은 무엇인가요?

▼

세균이 생태계에 미치는 영향은 무엇인가요?

융합사고력 키우기

- [x] Science
  ▶ 세균
- [x] Technology
  ▶ 예방주사
- [ ] Engineering
- [ ] Art
- [ ] Mathematics

지저분한 삶의 미학

인도네시아 칼리만탄섬의 아이들은 똥이 둥둥 떠다니는 더러운 강물에서 온종일 논다. 하지만 아토피 피부염이나 천식 등의 질환을 앓는 경우는 거의 없다. 왜 그럴까? 기생충과 감염면역을 연구해 온 의학 박사는 비위생적인 환경에서 사는 사람들 몸속에 있는 회충 등 기생충이 면역시스템에 자극을 줘, 오히려 면역력을 강화한다는 사실을 밝혀냈다. 이는 이물질인 장내 세균이 면역기구와 싸우면서 면역력을 키우는 것과 같은 원리다. 우리 역시 몇십 년 전만 해도 비위생적인 환경에서 살았다. 각종 미생물과 세균은 우리 몸속에서 공존했다. 하지만 오늘날 항생제나 살균제를 지나치게 많이 사용하면서 장내 세균은 급속도로 줄어들었다. 장내 세균에는 유익균과 유해균이 있는데 항생제나 살균제가 이 두 세균을 모두 줄이면 변비와 같은 증상이 나타나기도 한다. 장내 세균이 줄어들면서 우리 면역계는 장내 세균과 맞서 싸우면서 스스로 면역 체계를 강화히는 기회를 잃어버리고 만 것이다. 면역력을 키우려면 장내 세균부터 살려야 한다. 이를 위해서는 지나친 항생제 및 살균제 사용을 줄이고 식이섬유가 풍부한 음식, 특히 된장이나 김치 등 발효 음식을 먹으라고 조언한다. 왜냐하면 미생물의 발효를 이용하여 만든 발효 음식에는, 장내 세균 중 유익한 균이 많이 포함되어 있기 때문이다. 반면 식품첨가물이 다량 함유된 인스턴트식품은 되도록 먹지 않는 게 좋다.

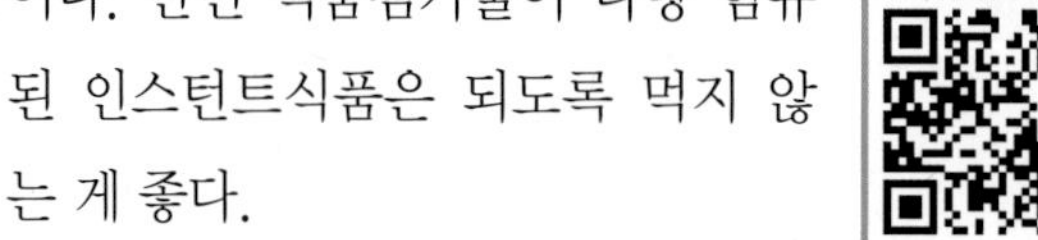

장내 유익균

용어 풀이

- **아토피**
  유아기 혹은 소아기에 시작되는 만성적인 염증성 피부질환
- **천식(숨찰 喘, 숨 쉴 息)**
  기관지에 경련이 일어나 숨이 가쁘고 기침이 나며 가래가 심한 병
- **면역(면할 免, 전염병 疫)**
  생체의 내부 환경이 외부 환경에 대하여 방어하는 현상
- **살균(죽일 殺, 세균 菌)**
  세균 따위의 미생물을 죽임
- **발효(술 될 醱, 삭힐 酵)**
  미생물이 자신이 가지고 있는 효소를 이용해 유기물을 분해시키는 과정

1 오늘날 우리 몸의 장내 세균이 점점 줄어드는 이유를 적어보세요.

2 예방주사를 접종할 때 우리 혈액에 주입하는 것은 놀랍게도 독성을 거의 상실한 해로운 세균인 경우가 많다. 예방접종 시 해로운 세균을 주입하면 우리 몸의 면역 반응에 어떤 장점이 있을지 적어보세요.

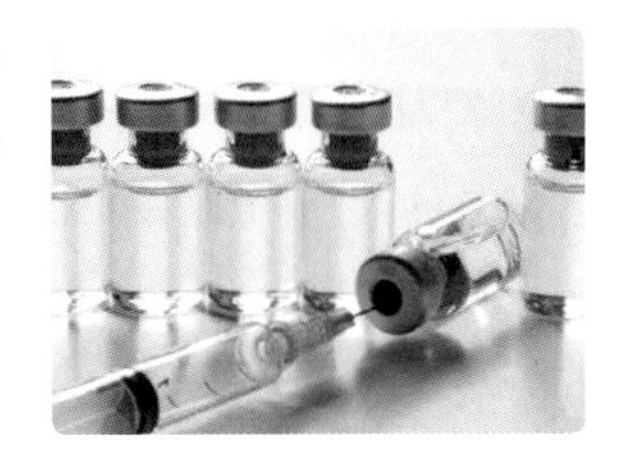

손에 잡히는 STEAM

예방접종은 우리 혈액에 무엇을 주입하나요?

▼

우리 몸은 예방접종 했을 때 어떤 반응을 나타내나요?

▼

예방접종은 우리 몸의 면역 반응에 어떤 도움을 주나요?

논술형

3 장내 세균의 한 종류인 '크리스텐세넬라시아에'는 날씬한 쌍둥이에게서 처음으로 발견되었다. 이 세균을 쥐에게 주입하자 아무리 영양분이 풍부한 먹이를 먹어도 살이 찌지 않았다. 이 장내 세균을 치료제로 활용할 수 있는 아이디어와 원리를 적어보세요.

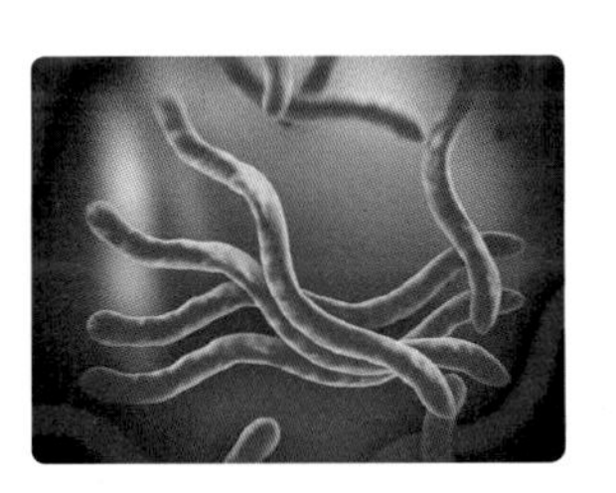

손에 잡히는 STEAM

'크리스텐세넬라시아에'는 어디에서 서식하나요?

▼

쥐에게 주입한 '크리스텐세넬라시아에'는 쥐 몸속에서 어떤 작용을 하나요?

▼

'크리스텐세넬라시아에'로 어떤 질환을 치료할 수 있나요?

탐구력 키우기

효모의 활동

인류는 김치, 된장, 간장, 술, 빵, 유제품 등이 발효 과정을 거쳐서 얻어진다는 것을 오래전부터 알고 이용해 왔습니다. 발효빵과 술은 효모의 신비로운 작용으로 생성됩니다. 효모가 활발히 활동할 수 있는 조건을 알아보세요.

준비물

건조 효모, 유리병 5개, 비커 4개, 풍선 5개, 실온의 물, 따뜻한 물, 얼음, 숟가락, 설탕, 오렌지주스, 베이킹파우더, 깔때기

탐구 과정

실험 1 ① 풍선 4개를 한 번씩 불어 늘인 후 바람을 뺀다.

② 유리병 4개를 준비하고 유리병 A와 B에는 설탕물을, 유리병 C에는 오렌지주스를, 유리병 D에는 물을 $\frac{1}{4}$ 정도 채운다.

③ 각 유리병에 건조 효모를 두 숟가락씩 넣고 흔들어 준다.

④ 각 유리병 입구에 공기를 뺀 풍선을 씌운다.

⑤ 유리병 A는 얼음물에 담그고, 유리병 B, C, D는 따뜻한 물에 담근다.

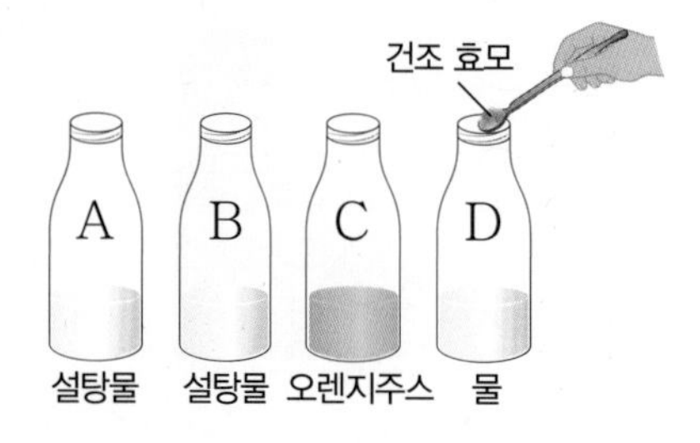

A B C D
얼음물 따뜻한 물 따뜻한 물 따뜻한 물

실험 2 ① 풍선 한 개를 불어 늘인 후 바람을 뺀다.

② 유리병에 물을 $\frac{1}{4}$ 정도 채운다.

③ 풍선에 깔때기를 끼우고 베이킹파우더를 두 숟가락 넣는다.

④ 베이킹파우더를 넣은 풍선을 유리병 입구에 씌운다.

⑤ 풍선을 세워 베이킹파우더를 물에 넣은 후 유리병을 흔들어 준다.

주의사항

- 건조 효모와 베이킹파우더를 많이 넣으면 실험 결과를 빨리 얻을 수 있다.
- 뜨거운 물은 50 ℃ 정도의 물을 사용하고, 얼음물 대신 냉장고의 차가운 물을 사용해도 된다.
- 깔때기 대신 종이를 원뿔 모양으로 말아서 사용해도 된다.

정답 및 해설
16쪽

1. 유리병 A~D의 변화를 적어보세요. (단, 겉모습 관찰이 끝난 후에는 풍선을 벗기고 유리병 안도 관찰한다.)

유리병 A	
유리병 B	
유리병 C	
유리병 D	

2. 실험 1 을 통해 알게 된 사실을 적어보세요.

유리병 A, B 비교	
유리병 B, C, D 비교	

3. 실험 1 과 실험 2 를 통해 알게 된 효모의 특징을 적어보세요.

STEAM

4. 입동을 전후로 날씨가 점점 추워지면 김치를 담그는 손들도 바빠집니다. 요즘은 김장 김치를 김치 냉장고에 보관하지만, 먼 옛날 우리 조상들은 독이라고 불리는 항아리에 김치를 담은 후 땅에 파묻고 그 위를 짚으로 덮거나 움집을 만들어서 보관했습니다. 김치를 독에 넣어 땅속에 보관할 때의 좋은 점을 미생물의 발효와 관련지어 적어보세요.

융합인재교육 STEAM 이란?

• 수학, 과학, 기술, 공학 간 상호 연계성 고려, 학문 간 공통 핵심 요소 중심으로 교육

• 예술적 소양을 함양하고 타 학문에 대한 이해가 깊은 미래형 인재 양성으로 교육

[자료 출처 : 한국과학창의재단]

융합인재교육은 과학기술공학과 관련된 다양한 분야의 융합적 지식, 과정, 본성에 대한 흥미와 이해를 높여 창의적이고 종합적으로 문제를 해결할 수 있는 융합적 소양(STEAM Literacy)을 갖춘 인재를 양성하는 교육이라고 정의하고 있다. 학습자가 실제 문제 상황을 다양하게 설계하고 해결하는 과정을 통해 새로운 개념을 생성하고, 창의적으로 설계하며, 더불어 사는 인성, 즉 사회적 감성을 발달하도록 하는 것이다.
이러한 융합인재교육(STEAM)의 목적은 다음과 같이 정리할 수 있다.

- 빠르게 변화하는 사회 변화의 적응력을 높이는 것이다.
- 개인의 창의인성, 지성과 감성의 균형 있는 발달을 돕는 것이다.
- 타인을 배려하고 협력하며, 소통하는 능력을 함양하는 것이다.
- 과학 효능감과 자신감, 과학에 대한 흥미 등을 증진시킴으로써 과학 학습에 대한 동기 유발을 높이는 것이다.
- 융합적 지식 및 과정의 중요성을 인식시키는 것이다.
- 학습자 중심의 수평적 융합적 교육으로 전환하는 것이다.
- 합리적이고 다양성을 인정하는 문화 형성에 기여하는 것이다.
- 대중의 과학화를 기반으로 한 합리적인 사회를 구성하는 데 기여하는 것이다.
- 창조적 협력 인재를 양성하는 것이다.
- 수학, 과학, 기술, 공학 간 상호 연계성 고려, 학문 간 공통 핵심 요소 중심으로 교육
- 예술적 소양을 함양하고 타 학문에 대한 이해가 깊은 미래형 인재 양성으로 교육

안쌤이 추천하는

영재교육원 대비 5,6학년 로드맵

안쌤의 최상위 줄기과학 초등 시리즈 학기별 8강, 총 32강

안쌤의 창의적 문제해결력 시리즈 수학 8강, 과학 8강

안쌤의 창의적 문제해결력 실전 시리즈 수학 50제, 과학 50제, 모의고사 4회

태양계 행성 1

해왕성

천왕성

토성

목성

화성

안쌤의
창의적 문제해결력 시리즈

초등 1~2 학년

초등 3~4 학년

초등 5~6 학년

중등 1~2 학년

새 교육과정 5~6학년 STEAM 과학

초등 5·1

정답 및 해설

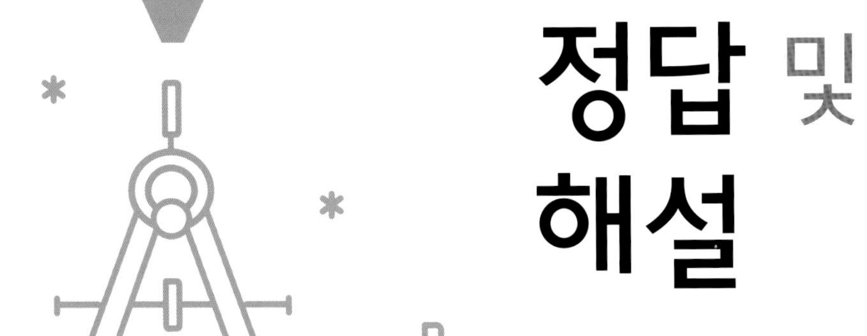

- 최상위권 학생을 위한 **심화 개념** 구성
- 소단원별 **STEAM 융합사고력** 키우기
- 단원별 **STEAM 탐구력** 키우기

안쌤 영재교육연구소

상위 1%가 되는 길로 안내하는 이정표로,
학생들이 꿈을 이루어갈 수 있도록 콘텐츠 개발과 강의 연구를 하고 있다.

검수

강동규, 김종욱, 박영숙, 윤신광, 윤영진, 이해인, 전익찬, 정영숙, 정회은, 채진희, 최현규, 홍정연

인기 강사 100명 강력 추천

강도연, 강미라, 강옥주, 강은영, 강혜정, 고려욱, 곽미영, 김민정, 김보란, 김순정, 김연지, 김영준, 김은선, 김은희, 김정숙, 김정아, 김정애, 김종욱, 김주석, 김형진, 김효선, 노형섭, 문희정, 박노섭, 박선미, 박세언, 박애자, 박우용, 박윤하, 박정연, 박지은, 박진국, 박하나, 박헌진, 배정인, 배혜정, 백광열, 백지연, 변애나, 복주리, 서동진, 서유경, 서윤정, 소선영, 신규숙, 신상희, 신석화, 신현주, 안진희, 엄정연, 염경화, 오고운, 옥정화, 유나영, 유영란, 윤민혜, 윤소희, 윤순주, 이강윤, 이동림, 이미정, 이선영, 이연주, 이영주, 이영훈, 이윤정, 이은덕, 이지영, 이진경, 이혜림, 임선화, 장수진, 장윤희, 장치은, 전익찬, 전진홍, 정동훈, 정보혜, 정수일, 정영숙, 정재은, 정희현, 조영부, 조은실, 조정숙, 지다인, 차규상, 채진희, 최성덕, 최용덕, 최진영, 하영진, 한승철, 한정희, 한지연, 홍금자, 홍영주, 홍정연, 황병문, 황보혜정

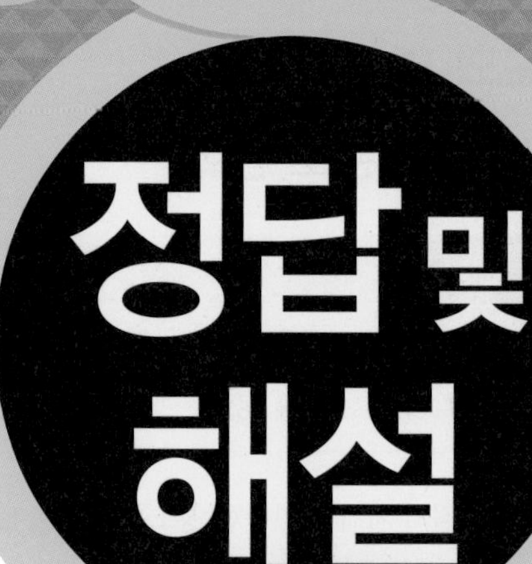
정답 및
해설

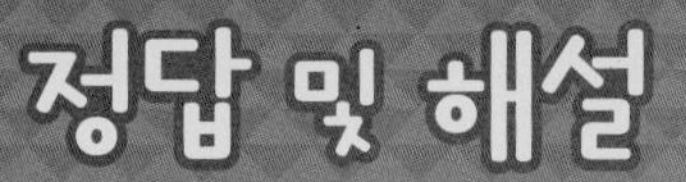

정답 및 해설

I 온도와 열

01 온도와 온도 변화

개념 기르기 12~13쪽

01 ⑤	02 ④	03 ③	04 ②, ⑤	05 ⑤
06 ⑤	07 ④	08 ⑤	09 ⑤	10 ⑤

01 온도란 물질의 차갑고 따뜻한 정도를 숫자로 나타낸 것이다.

02 알코올 온도계는 고리, 몸체, 액체샘으로 이루어져 있고, 측정하고자 하는 물질에 넣고 액체의 움직임이 멈추면 빨간색 액체 기둥의 가장 윗부분과 눈높이를 맞춘 후 액체 기둥의 끝이 닿은 부분의 눈금을 읽는다. 적외선 온도계는 고체 물질의 온도를 측정할 때 사용하고, 귀 체온계는 몸의 온도를 측정할 때 사용한다.

03 눈금이 1 ℃ 간격으로 매겨져 있으며, 액체 기둥이 10으로부터 7칸 위에 있으므로 17 ℃이다.

04 강당의 공기나 물처럼 기체나 액체 물질의 온도는 알코올 온도계로 측정하고, 화단 흙이나 운동장 모래처럼 고체 물질의 표면 온도는 적외선 온도계로 측정한다.

05 햇빛이 많은 곳(운동장 모래)은 온도가 높고, 햇빛이 적은 곳(그늘진 땅)은 온도가 낮다.

06 그림은 온도가 높아지는 경우로, ⑤의 아이스크림에 해당한다. ①~④는 온도가 낮아지는 경우이다.

07 뜨거운 물에 넣었던 컵에 넣은 물은 온도가 높아지고, 냉장고 안에 넣었던 컵에 넣은 물은 온도가 낮아진다.

08 물을 냉장고에 넣으면 온도가 낮아지는데, 물의 양이 많을수록 천천히 낮아진다.

09 비커 속 따뜻한 물에서 음료수 캔으로 열이 이동하므로, 비커 속 물은 온도가 낮아지고 음료수 캔 속의 물은 온도가 높아진다. 시간이 지나면 음료수 캔과 비커 속 물의 온도는 같아진다.

10 ① 열이 생선에서 얼음으로 이동하므로 생선의 온도는 낮아진다.
② 열이 물에서 냉장고로 이동하므로 물의 온도는 낮아진다.
③ 열이 주머니에서 얼음으로 이동하므로 주머니의 온도는 낮아진다.
④ 열이 과일에서 차가운 물로 이동하므로 과일의 온도는 낮아진다.
⑤ 열이 따뜻한 컵에서 미지근한 물로 이동하므로 미지근한 물의 온도는 높아진다.

서술형으로 다지기 14~15쪽

01 모범답안
(1) 두 손이 미지근한 물의 온도를 다르게 느낀 이유 : 오른손은 열이 따뜻한 물에 담갔던 오른손에서 미지근한 물로 이동하므로 차갑다고 느끼고, 왼손은 열이 미지근한 물에서 차가운 물에 담갔던 왼손으로 이동하므로 따뜻하다고 느낀다.
(2) 온도를 정확하게 나타낼 수 있는 방법 : 온도계를 사용하여 온도를 측정한다.

해설 우리가 온도에 대해 느끼는 정도는 상황에 따라 다르고, 차갑고 따뜻한 것은 사람마다 기준이 다를 수 있다. 따라서 온도를 사용하면 통일된 기준으로 정보를 전달할 수 있고, 어느 지역에서나 편리하게 온도를 알 수 있다.

02 모범답안
(1) 비커 속 물의 온도 변화 : 점점 낮아진다.
(2) 음료수 캔 속 물의 온도 변화 : 점점 높아진다.
(3) 열의 이동 방향 : 따뜻한 비커 속 물에서 차가운 음료수 캔 속 물로 이동한다.

해설 열은 온도가 높은 물질에서 온도가 낮은 물질로 이동하며, 두 물질이 접촉한 채로 시간이 충분히 지나면 두 물질의 온도는 같아진다.

03 모범답안

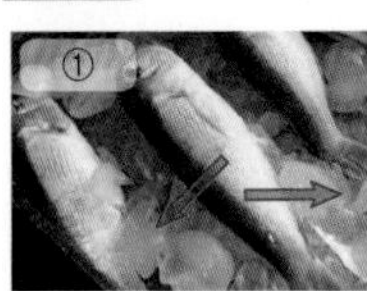

▲ 얼음과 생선

▲ 드라이아이스와 아이스크림

▲ 찻숟가락과 따뜻한 코코아차

해설 열은 온도가 높은 곳에서 온도가 낮은 곳으로 이동한다.

04 모범답안 바닷물의 깊이가 깊어질수록 태양열이 잘 전달되지 않기 때문에 온도가 낮아진다.

해설 해수면 근처는 태양열을 많이 받아 따뜻하지만, 깊어질수록 태양열을 잘 전달받지 못해 차갑다.

융합사고력 키우기 16~17쪽

01 모범답안

- 장점 : 부피 팽창률이 크기 때문에 눈금을 읽기 편하다.
- 단점 : 끓는점이 78 ℃로 낮아 높은 온도를 측정할 수 없고, 높은 온도를 측정한 후에 알코올이 유리관 벽에 붙어 눈금을 읽기가 어렵다.

02 모범답안 색이 변하는 온도의 차이가 1~2 ℃ 정도이고, 온도에 따라 변하는 색이 서로 다른 열 변색 물감을 칠한 스티커를 색이 변하는 온도에 따라 순서대로 붙인다.

해설 열 변색 물감을 만들 때 사용되는 물질은 온도에 따라 모양과 전자의 밀도가 달라진다. 이에 따라 흡수하는 빛의 파장이 달라지고, 우리 눈에 보이는 색깔도 변한다. 액정 온도계는 두께가 얇고 쉽게 붙일 수 있어 다양한 곳에 활용된다.

03 예시답안

- 화장품 온도계 : 온도에 민감한 화장품의 겉면에 열 변색 물감 스티커를 붙여 화장품의 보관 온도가 적절한지 알 수 있도록 한다.
- 젖병 온도계 : 아기가 먹는 분유의 온도가 적절한지 알 수 있도록 한다.
- 돼지 발열 온도계 : 돼지의 등이나 배에 열 변색 물감을 이용한 온도계를 부착하여 발열을 동반한 전염병의 발병을 빨리 알 수 있도록 한다.

해설

- 온도 측정용 – 인화점 실험, 음료수 적정 온도 표시 등에 사용한다.
- 전력 설비 – 빌딩, 공장 등의 전력 설비, 전등 기구 등의 발열 기구에 사용한다.
- 차량 – 모터, 차축, 개폐기, 자동차의 엔진부, 내연기관의 피스톤 등에 사용한다.
- 가열 기기 – 열교환기, 반응솥(화학 반응을 시키는 솥), 오토클레이브(증기 살균기) 등에 사용한다.
- 기타 – 금속류의 용접, 도료 등의 온도 표시에 사용한다.

02 열의 이동

개념 기르기 22~23쪽

01 ④ 02 ③ 03 ④ 04 ① 05 ⑤
06 ①, ④ 07 ⑤ 08 ④ 09 ③

01 열은 온도가 높은 곳에서 낮은 곳으로 이동하므로 따뜻한 물에서 숟가락으로 이동한다.

02 고체를 가열하면 가열된 곳의 온도는 높아지고, 멀리 떨어진 곳의 온도는 가열된 곳보다 낮다. 열은 온도가 높은 곳에서 낮은 곳으로 이동한다.

03 고체 물질이 끊겨 있거나, 두 고체 물질이 접촉하고 있지 않으면 열은 잘 전도되지 않는다.

04 구리판 한쪽 끝을 가열하면 가열하지 않은 다른 쪽도 뜨거워지는 것은 고체에서 전도에 의해 열이 이동하기 때문이다. ②와 ③은 기체에서 열이 이동하는 방법(대류)이고, ④와 ⑤는 액체에서 열이 이동하는 방법(대류)이다.

05 열은 유리보다 철이나 구리와 같은 금속에서 더 빠르게 이동하고, 금속 중에서는 철보다 구리에서 더 빠르게 이동한다. 따라서 구리판에 있는 버터 조각이 가장 빨리 움직이고, 철판, 유리판 순서로 움직인다. 버터 조각 하나가 움직였을 때 적외선 온도계로 각 판의 온도를 재면 구리판, 철판, 유리판 순서로 온도가 높다.

06 온도가 높아진 잉크가 위로 이동하고 위쪽의 차가운 물이 아래로 내려와 섞인다. 잉크 아래에 뜨거운 물 대신 찬물이 담긴 종이컵을 놓으면 잉크가 움직이지 않거나 매우 느리게 움직인다.

07 물이 담겨 있는 냄비를 가열하면 불이 닿는 아랫부분의 물이

가열되어 위로 올라가고 위에 있던 차가운 물이 아래로 내려오며 직접 열을 전달한다. 이 과정이 반복되면서 시간이 충분히 지나면 물 전체가 따뜻해진다.

08 알코올램프에 불을 붙이지 않으면 비눗방울이 아래로 내려가고, 알코올램프에 불을 붙이면 온도가 높아진 공기가 위로 올라가므로 비눗방울이 위로 올라간다.

09 단열이 잘되는 집 모형을 만들기 위해서는 빈틈을 셀로판테이프로 모두 막고, 벽면, 지붕, 창문에 열이 잘 이동하지 않는 단열 재료(우드록, 색점토, 비닐랩 등)를 붙인다.

서술형으로 다지기 24~25쪽

01 모범답안

(1) 고구마를 가장 빨리 익힐 수 있는 방법 : 고구마에 쇠젓가락을 꽂고 냄비에 넣은 후, 물을 부어 휴대용 가스레인지로 가열한다.

(2) 이유 : 고구마에 꽂은 쇠젓가락이 열을 잘 전달하므로 고구마 속까지 열이 빠르게 전달되기 때문이다.

해설 고구마에 쇠젓가락을 꽂고 휴대용 가스레인지로 고구마를 직접 가열하는 방법은 냄비와 물을 사용하지 않았으므로 답이 될 수 없다.

02 모범답안 에어컨은 차가운 공기가 나오므로 위쪽에 설치하여 차가운 공기가 아래로 내려가게 해야 집 안 전체가 시원해지고, 난로는 주위 공기를 따뜻하게 데우므로 아래쪽에 설치하여 따뜻한 공기가 위로 올라가게 해야 집 안 전체가 따뜻해진다.

해설 온도가 높아진 공기는 위로 올라가고, 온도가 낮아진 공기는 아래로 내려온다.

03 모범답안 불에 의해 데워진 공기가 위로 올라가므로 풍등이 위로 떠오른다.

해설 풍등 안은 아주 작은 공기 알갱이로 가득 차 있다. 이 공기 알갱이에 열을 가해 주면 공기 알갱이가 활발하게 움직여 알갱이 사이의 간격이 넓어져 부피가 늘어난다. 부피가 늘어나면 같은 공간 안에 들어 있는 공기 알갱이 수(밀도)가 적어지므로 주위 공기보다 가벼워져 위로 올라간다. 반대로 온도가 낮아지면 부피가 줄어들고 풍등 무게 때문에 주위 공기보다 무거워지므로 아래로 내려온다.

04 모범답안 이중벽으로 만들면 음식을 넣은 통에서 외부로 열이 직접 이동하는 것을 막기 때문에 온도가 일정하게 유지된다.

해설 보온병은 뚜껑이 이중 구조로 되어 있어 전도와 대류에 의한 열의 이동을 막고, 유리의 벽면은 은도금 되어 있어 열을 내부로 다시 반사시켜 열의 이동을 막는다. 이중벽 속은 진공 상태로 열이 전달될 물질이 없으므로 전도에 의한 열의 이동을 막는다.

융합사고력 키우기 26~27쪽

01 모범답안

- 햇빛이 많이 비치지 않는 언덕이나 산의 북쪽이어야 한다.
- 찬 바람이 불어오는 쪽으로 입구를 만들 수 있는 곳이어야 한다.
- 햇빛을 가려줄 수 있는 나무 그늘이 있는 곳이어야 한다.
- 얼음을 옮기기 쉽도록 마을이나 강과 가까워야 한다.

02 모범답안 짚이나 왕겨, 화강암은 단열 효과가 높아 열이 잘 이동하지 못하기 때문이다.

해설 석빙고는 차가운 공기와 더운 공기의 밀도 차이를 이용해 만든 얼음 보관 창고이다. 하천 근처에 만들어 겨울에 캐낸 얼음을 쉽게 옮길 수 있게 했다. 석빙고 내부 높이는 5 m에 이르지만, 바닥을 깊이 팠기 때문에 지면에서부터의 높이는 3 m가 채 되지 않는다. 이 공간에 얼음을 짚이나 왕겨처럼 단열 효과가 높은 재료로 싸서 바닥부터 쌓았다. 열이 이동하지 못하도록 주변을 단열 효과가 높은 화강암으로 둘러쌓았다. 석빙고 내부로 들어온 더운 공기는 대류 현상을 이용해 굴뚝으로 빠져나가도록 했다. 얼음이 지면보다 낮은 위치에 있기 때문에 입구로 들어온 더운 공기는 아래쪽에 있는 찬 공기에 밀려 얼음을 만나지 못하고 굴뚝으로 빠져나간다.

03 모범답안 겨울에 너덜 사이에 갇혀 있던 찬 공기가 여름에 더운 공기에 밀려 아래로 내려와 얼음을 만든다.

해설 겨울에 차갑게 식은 공기는 밀도가 커져 아래쪽으로 가라앉는다. 이때 너덜 지형을 만드는 화산암 사이로 찬 공기가 스며든다. 돌 사이로 스며든 찬 공기는 봄이 되어 바깥 공

기가 따뜻해져도 화산암이 열의 이동을 막기 때문에 여전히 차가운 상태로 유지된다. 날씨가 더 따뜻해지면 바깥의 더운 공기가 너덜과 맞닿게 된다. 너덜 상부에 저장된 찬 공기는 같은 높이에 있는 바깥의 더운 공기보다 무거우므로 아래로 내려가면서 너덜 안에 저장된 공기를 밀어내고, 너덜 하부에 있던 찬 공기는 밀려서 바깥으로 빠져나와 얼음을 만든다.

탐구력 키우기 28~29쪽

01 모범답안 시간이 지나면 종이가 서서히 돌기 시작한다. 일단 종이가 움직이면 천천히 계속 돈다.

02 모범답안 손을 종이 아래쪽에 모으고 있으면 주변의 공기가 데워진다. 데워진 공기는 위로 올라가서 종이를 움직여 돌게 한다.

해설 주변보다 온도가 높아진 공기가 직접 위로 이동해 열을 전달하는 방법을 대류라고 한다.

03 모범답안

- 더 가벼운 종이를 사용한다.
- 손을 비비거나 따뜻한 물체를 잡아 따뜻하게 한 후 실험한다.
- 손 대신 종이 아래에 초(키가 작은 양초, 티라이트 초)를 켜 놓는다.

해설 종이 주변의 공기를 더 따뜻하게 데우거나 종이의 무게를 가볍게 하면 종이 프로펠러가 빨리 돈다.

04 모범답안 위쪽의 공기가 따뜻하고 아래쪽의 공기가 차가우므로 대류 현상이 일어나지 않아 바람이 불지 않는다. 따라서 대기 오염 물질이 잘 퍼지지 않아 계속 쌓인다.

해설 안개는 온도가 낮아져 생기는 복사안개와 증발에 의해 공기 중의 수증기가 많아져 생기는 증발안개가 있다. 이중 복사안개는 새벽에 지면이 상공보다 빨리 식을 때 발생한다. 안개가 발생한 날은 바람이 불지 않아 대기 오염 물질이 증가할 가능성이 높고, 가시거리가 짧아 사고 발생률이 높다.

Ⅱ 태양계와 별

03 태양계

개념 기르기 36~37쪽

01 ③	02 ②, ⑤	03 ③	04 ④	05 ④
06 ④	07 ⑤	08 ②	09 ②	10 ④
11 ②	12 ⑤			

01 지구에 살고 있는 생물은 태양으로부터 오는 에너지를 이용하여 살아간다. 만약 태양이 없다면 지구에는 어떤 생물도 살 수 없을 것이다.

02 태양계에는 지구처럼 태양 주위를 돌고 있는 여덟 개의 행성이 있으며 태양계의 중심인 태양도 태양계의 구성원이다.

03 화성은 고리가 없으며, 위성을 가지고 있는 행성은 지구, 화성, 목성, 토성, 천왕성, 해왕성이다. 수성, 금성, 지구, 화성의 표면 물질은 암석이고, 목성, 토성, 천왕성, 해왕성의 표면 물질은 암석이 아니다.

04 태양계에서 가장 큰 행성은 목성이다. ① 수성, ② 지구, ③ 화성, ④ 목성, ⑤ 해왕성이다.

05 행성 주위를 돌고 있는 천체를 위성이라고 한다.

06 목성은 태양계 행성 중 가장 크고, 희미한 고리가 있으며, 표면에 가로줄 무늬가 있고 남반구에 대적점이 있다. 토성은 태양계에서 가장 아름다운 고리가 있고, 물보다 밀도가 작다.

07 행성의 크기 순서는 목성 > 토성 > 천왕성 > 해왕성 > 지구 > 금성 > 화성 > 수성이다. 지구와 크기가 가장 비슷한 행성은 금성이다.

08 행성의 크기 순서는 목성 > 토성 > 천왕성 > 해왕성 > 지구 > 금성 > 화성 > 수성이다.

09 수성, 금성, 화성은 지구보다 작은 행성이고, 목성, 토성, 천왕성, 해왕성은 지구보다 큰 행성이다.

10 지구에서 가장 멀리 있는 행성은 해왕성이다.

11 태양계의 행성을 태양으로부터 가까운 순서로 나열하면 수성, 금성, 지구, 화성, 목성, 토성, 천왕성, 해왕성이다.

12 수성과 금성은 태양으로부터 거리가 지구보다 가까운 행성이고, 화성, 목성, 토성, 천왕성, 해왕성은 태양으로부터 거리가 지구보다 먼 행성이다.

서술형으로 다지기

38~39쪽

01 모범답안
- 빛이 사라져 어두워질 것이다.
- 태양의 열에너지가 사라져 기온이 낮아질 것이다.
- 식물이 광합성을 하지 못해 동물이 먹을 양분이 없어질 것이다.
- 달은 태양 빛을 반사하여 보이므로 달이 보이지 않을 것이다. 등

해설 지구에 살고 있는 생물은 태양으로부터 오는 에너지를 이용하여 살아가므로, 태양의 활동이 멈추거나 사라진다면 에너지를 받지 못해 어떤 생물도 살아갈 수 없을 것이다.

02 모범답안 태양계에서 가장 작은 행성인 수성은 가장 작은 팥으로, 가장 큰 행성인 목성은 가장 큰 수박으로 표현할 수 있다.
해설 태양계에서 가장 작은 행성은 수성이고, 태양계에서 가장 큰 행성은 목성이다.

03 모범답안 태양에서 행성까지의 거리가 멀어질수록 행성이 태양 주위를 한 바퀴 회전하는 데 시간이 오래 걸릴 것이다.
해설 행성이 태양 주위를 한 바퀴 회전하는 것을 공전이라고 한다. 태양에서 행성까지의 거리는 행성의 공전 궤도 반지름이라고 할 수 있다. 공전 궤도 반지름이 길어지면, 공전 궤도의 길이가 길어지므로 그만큼 공전하는 데 걸리는 시간이 길어진다.

행성	상대적인 거리	공전 주기	행성	상대적인 거리	공전 주기
수성	0.4	88일	목성	2.5	12년
금성	0.7	225일	토성	9.5	29년
지구	1	365일	천왕성	19.2	84년
화성	1.5	687일	해왕성	30.0	165년

04 모범답안 화성 극지방의 극관을 녹여 이산화 탄소를 대기 중으로 보내 온실 효과가 일어나도록 한다. 온실 효과에 의해 화성 표면 온도가 더욱더 높아지면 얼음이 녹아 물이 만들어지고, 대기가 두꺼워진다. 오랜 시간이 지난 후 식물이 살 수 있게 되면 산소가 생기고 사람이 살 수 있는 환경이 된다.
해설 태양열을 붙잡아두는 온실 기체가 화성의 대기에 많아지면 따뜻해질 수 있고, 식물이 살게 되면 광합성으로 생긴 산소로 사람이 호흡할 수 있게 되며, 대기가 두꺼워지면 우주 방사선으로부터 사람들을 보호할 수 있게 될 것이다. NASA는 약 100년간의 테라포밍을 거치면 화성의 온도를 적절하게 높일 수 있다고 한다. 그러나 화성 대기 구성 성분을 지구와 같게 하는 데는 더 오랜 세월이 걸릴 것이다.

융합사고력 키우기

40~41쪽

01 모범답안
- 다른 행성의 환경이나 특징을 조사하기 위해서이다.
- 다른 행성이나 우주에 생명체의 존재 여부를 파악하기 위해서이다.
- 태양계와 태양계 밖의 우주를 탐사하기 위해서이다.
- 우주, 자연 현상, 미지의 세계에 대한 호기심을 해결하기 위해서이다.
- 다른 행성의 자원을 이용할 수 있는지 조사하기 위해서이다.

02 모범답안 태양에서 멀어질수록 태양 빛이 약해지므로 사용할 수 없고, 방사성 물질은 적은 양으로 큰 에너지를 낼 수 있기 때문이다.
해설 현재 지구에서 가장 멀리 있는 인공 물체는 1977년 발사된 NASA의 우주 탐사선 보이저 1호이다. 보통 우주 탐사선은 태양전지판을 갖추고 있어 태양에서 에너지를 공급받지만, 보이저 1호처럼 화성보다 더 멀리 가면 태양열이 약해 태양전지판이 소용없다. 따라서 장거리 우주 탐사선은 방사성 동위원소 활용 전력공급장비(RTG)가 필수이다. 방사성 동위원소 활용 전력공급장비(RTG)는 태양전지판보다 10배 정도 가볍다. 보이저 1호는 지구에서 150억 km 이상 떨어져 있는 태양계 가장자리까지 날아갔고, 이 정도의 거리에서는 태양이 하나의 밝은 별처럼 보일 뿐이다. 보이저 1호의 방사성 동위원소 활용 전력공급장비(RTG)는 플루토늄이나 스트론튬 같은 방사성 동위원소가 자연 붕괴할 때 발생하는 열을 전력으로 바꾼다.

03 예시답안

- 선글라스 : 우주 비행사들의 눈을 보호하기 위해 개발된 필터가 선글라스에 적용되었다.
- 긁힘 방지 렌즈 : 우주선 계기판 손상을 막기 위해 개발된 긁힘 방지 렌즈가 대부분 안경과 선글라스에 사용된다.
- 정수기 : 우주선에서 사용한 물을 재사용 하기 위해 개발되었다.
- 전자레인지 : 우주선에서 불로 가열하지 않고 음식을 조리하기 위해 개발되었다.
- 동결건조식품 : 재료를 얼린 후 얼음을 승화시켜 수분을 제거한 것으로, 물을 부어 먹는다. 우주선의 무게를 줄이기 위해 식품을 가능하면 가볍고 작게 만들고, 장기간 보존이 가능하고 조리법이 쉽도록 만들었다.
- 공기청정기 : 밀폐된 우주선 내부의 공기 질을 유지하기 위해 개발되었다.
- 화재경보장치 : 1970년대 우주정거장 스카이랩에서 화재를 감지하기 위해 개발되었다.
- 알루미늄 단열 장치 : 주택 단열을 위해 이용한다.
- 카이놀섬유 : 내열 소재로, 방재 마스크에 사용된다.
- 형상기억합금 : 여러 형태로 변형되었다가 적절한 조건이 되면 원래의 모양으로 돌아가는 금속으로, 달착륙선과 행성탐사선의 안테나에 이용되었다. 지금은 밥솥, 커피메이커, 낚싯줄 등에 사용된다.
- 연료 전지 : 수소와 산소가 결합해 물이 될 때 발생하는 전기를 이용하는 것으로, 우주 왕복선의 에너지원으로 사용되었다. 연료 전지의 부산물로 나오는 물은 우주 비행사의 음료나 우주선의 보수용으로 이용했다. 연료 전지는 온실기체 발생이 적은 친환경 에너지로 수송 및 운송, 가정 내, 휴대용, 편의 등 다양한 분야에서 응용할 수 있다.
- GPS(위성항법시스템) : 우주에서 탐사선의 위치를 확인하기 위하여 개발된 것으로, 지금은 내비게이션이나 위치 추적기에 사용된다.
- MRI(자기공명영상), CT(컴퓨터단층촬영) : 아폴로호가 촬영한 우주 사진을 처리하기 위한 기술로, 지금은 인체 내부를 보는 의료 기기로 사용된다.
- 온도계 알약 : 우주 비행사들의 체온을 추적하기 위해 먹는 온도계이다. 지금은 운동선수나 소방대원, 잠수부의 체온을 모니터하는 데 사용되고, 심장 수술 시 체온 변화 확인에도 활용된다.

04 별과 별자리

개념 기르기 46~47쪽

01 ①	02 ②, ⑤	03 ③	04 ②	05 ③
06 ③	07 ⑤	08 ④	09 ①	10 ②, ⑤
11 ②	12 ③			

01 별은 스스로 빛을 내며 우리나라뿐만 아니라 세계 곳곳에서 볼 수 있고, 태양계 밖의 천체도 별자리로 볼 수 있다. 낮에는 태양 빛이 강하기 때문에 별을 보기 어렵다.

02 별자리는 하늘의 별을 무리 지어 신화에 나오는 동물이나 인물 등의 이름을 붙여 놓은 것으로, 밤하늘의 별을 쉽게 찾거나 별의 위치를 기억하기 위해 만들었다.

03 북두칠성과 카시오페이아자리의 위치는 시각과 계절에 따라 달라진다.

04 북극성은 일 년 내내 북쪽 하늘에서 빛나며, 자전축 근처에 있어서 움직이지 않고 같은 자리에 있다.

05 북쪽 하늘에서 북극성과 북두칠성, 작은곰자리, 카시오페이아자리 등을 볼 수 있다. 오리온자리는 겨울철에 볼 수 있는 겨울철 대표 별자리이다.

06 ㉠ 북두칠성, ㉡ 북극성, ㉢ 카시오페이아자리이다.

07 북극성은 국자 모양의 북두칠성에서 ㉠과 ㉡ 사이 거리의 다섯 배 되는 곳에 있고, W 또는 M자 모양의 카시오페이아자리에서 ㉢과 ㉣ 사이 거리의 다섯 배 되는 곳에 있다. 북두칠성과 카시오페이아자리 중 하나만으로도 북극성을 찾을 수 있다.

08 별은 스스로 빛을 내는 천체로, 태양계에서는 태양만 별이다.

09 별과 행성이 모두 밝게 보이는 것은 별과 행성의 공통점이다.

10 사람들이 별자리를 만들어 사용한 이유는 밤하늘의 별의 위치를 쉽게 기억하고 별을 찾아 방향을 알기 위해서이다.

정답 및 해설

11 여러 날 동안 같은 밤하늘을 관측하면 지구로부터 먼 거리에 있는 별(데네브, 베가, 알타이르)은 움직이지 않는 것처럼 보이고, 지구에 가까이 있는 행성(화성, 토성)은 별자리 사이에서 서서히 위치가 변한다.

12 행성은 스스로 빛을 내지 않으므로 빛이 나게 할 필요가 없다.

서술형으로 다지기 48~49쪽

01 모범답안

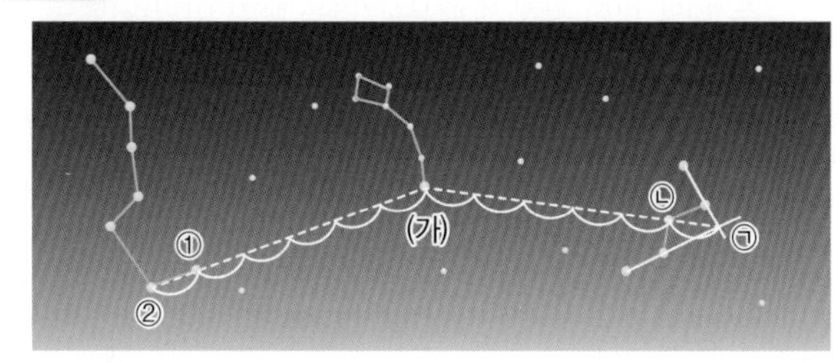

(1) (가)의 이름 : 북극성

(2) (가)를 찾을 수 있는 방법 : 북두칠성에서 ①과 ② 사이 거리의 다섯 배만큼 떨어져 있는 별이 북극성이다. 카시오페이아자리에서 ㉠과 ㉡ 사이의 다섯 배가 되는 거리만큼 떨어져 있는 별이 북극성이다.

해설 북쪽 하늘의 기준이 되는 별인 북극성은 북두칠성과 카시오페이아자리의 별을 이용하여 위치를 찾을 수 있다.

02 모범답안 북극성은 일 년 내내 북쪽 하늘에서 거의 움직이지 않아서 길잡이 별로 이용할 수 있기 때문이다.

해설 지구의 자전 때문에 북쪽 하늘의 별자리는 하루 동안 북극성을 중심으로 시계 반대 방향으로 한 바퀴 회전한다. 그러나 북극성은 지구의 자전축 근처에 있어 일 년 내내 거의 위치가 변하지 않아 길잡이 별로 사용된다.

03 모범답안 별은 깜박이지만, 행성은 깜박이지 않고 밝다.

해설 별은 매우 멀리 떨어져 있어 큰 망원경으로 배율을 높여 확대해서 보더라도 하나의 점으로 보인다. 또한, 온도가 높고 여러 가지 색깔의 빛을 방출하고 있다. 이렇게 한 점에서 오는 여러 종류의 빛이 지구 대기를 통과하면 서로 다른 공기층에 의해 흔들려 깜박인다. 그러나 행성은 깜박거림이 거의 없다. 바람이 많이 불거나 대기가 불안정한 날에는 약간의 깜박거림이 있지만, 별보다 깜박이는 정도가 훨씬 덜하다. 행성은 지구로부터 가까운 거리에 있어 면적이 크기 때문에 대기의 영향을 덜 받아 작은 전구에 불이 들어온 것처럼 보인다. 또한, 행성은 1등성 이상의 밝기를 가지며 밤하늘에서 밝게 빛나고, 몇 달 동안 밤하늘을 관측하면 별자리 사이에서 서서히 위치가 변한다.

04 모범답안 대기의 영향을 받지 않고 별을 선명하게 관측하기 위해서이다.

해설 태양을 제외하고 별은 지구로부터 매우 멀리 떨어진 곳에 있으므로 우리 눈에는 작은 점으로만 보인다. 지상에서 별을 관측하면 대기에 의해 별빛이 반사되거나 흔들려 정확히 관측하기 힘들고, 대도시에서는 빛 공해로 인해 별을 관측하기 더 힘들다. 따라서 대기의 영향을 받지 않고 우주를 관측하기 위해 망원경을 우주에 설치한다. 허블 우주 망원경은 최초의 우주 망원경으로, 1990년 4월 24일 우주 왕복선 디스커버리호에 실려 하늘로 올려졌다. 지상 610 km 궤도에서 약 97분에 한 번씩 지구를 돌며 관측 활동을 하고 있다. 허블 망원경은 지름 2.4 m의 주경을 가진 반사 망원경으로, 지상의 천체 망원경보다 해상도는 10~30배, 감도는 50~100배 뛰어난 관측 능력을 갖추고 있다. 또한, 우주망원경은 지상에서 볼 수 없는 여러 파장의 전자기파를 관측할 수 있을 뿐만 아니라 날씨나 시간에도 영향을 받지 않는다.

융합사고력 키우기 50~51쪽

01 모범답안 나선팔 구조를 가진 나선 은하이다.

해설 나선 은하는 중앙의 둥근 부분과 나선팔이 있는 은하로, 중앙의 둥근 부분을 가로지르는 막대 구조의 유무에 따라 막대 나선 은하와 정상 나선 은하로 나누어진다. 우리은하는 막대를 가지고 있는 막대 나선 은하이고, 안드로메다 은하는 막대를 가지고 있지 않은 정상 나선 은하이다.

02 모범답안 은하는 수많은 별들이 모여 이루어진 것이지만, 별과 별 사이의 거리는 우리가 상상할 수 없을 만큼 멀다. 따라서 우리은하의 전체 모습을 보기 위해 은하 밖으로 나가는 것은 불가능하다.

해설 우리은하는 중심 근처에 막대가 있고 바깥쪽에 나선팔이 있는 막대 나선 은하이다. 우리은하는 많은 성단과 성운을 포함하고 있으며, 태양과 같은 별들이 약 2,000억 개

나 있다. 우주 공간에서 소용돌이를 일으키며 회전하는 거대한 별의 집단이 바로 우리은하의 모습이다. 우리은하의 지름은 약 10만 광년, 두께는 1만 5천 광년이고, 태양계는 우리은하의 중심부에서 약 3만 광년 떨어진 곳에 있다. 우리은하의 별들은 은하의 중심을 기준으로 공전한다. 태양계는 은하 중심을 약 2억 3,000만 년 정도의 주기로 공전하고 있다.

03 모범답안 은하에는 수천억 개의 별들이 있지만, 별들 사이의 간격이 매우 넓어서 두 은하가 충돌하여 합쳐진다고 하더라도 별끼리 충돌할 가능성은 거의 없다.

해설 태양에서 가장 가까운 별(항성)은 프록시마 센타우리로, 4.2 광년 떨어져 있다. 태양을 탁구공 크기로 축소한다면, 프록시마 센타우리는 1,100 km 떨어진 곳에 있는 완두콩 크기 정도이다. 이것은 드넓은 태평양에 작은 병뚜껑 몇 개가 떠 있는 것과 같다. 별들 사이의 평균 거리가 1,600억 km임을 고려하면, 은하가 합쳐질 때 두 별이 충돌하는 것은 거의 불가능하다.

탐구력 키우기 52~53쪽

01 모범답안

- 태양에서 멀어질수록 행성들 사이의 거리가 멀어진다.
- 지구와 크기가 비슷한 행성들은 태양 가까이에 있다.
- 크기가 큰 행성은 태양에서 먼 곳에 있다.

02 모범답안 해왕성, 행성의 공전 주기는 태양에서 먼 행성일수록 길어지기 때문이다.

해설 태양과 가까운 수성, 금성, 지구, 화성의 공전 주기는 행성은 88일에서 687일로 비교적 짧지만, 멀리 있는 목성, 토성, 천왕성, 해왕성의 공전 주기는 12년부터 165년 사이로 매우 길다. 해왕성의 1년은 지구의 시간으로 165년이다.

03 모범답안

- 태양에서 해왕성까지의 거리와 빛의 속도로 계산하면,

$$\frac{4{,}500{,}000{,}000\,\text{km}}{300{,}000\,\text{km/s}} = 15{,}000\text{초} = 250\text{분} = 4\text{시간 } 10\text{분 걸린다.}$$

- 지구에서 약 30배 떨어져 있으므로

500초×30=15,000초=250분=4시간 10분 걸린다.

해설 $\text{속력} = \dfrac{\text{이동 거리}}{\text{걸린 시간}}$, $\text{걸린 시간} = \dfrac{\text{이동 거리}}{\text{속력}}$

04 모범답안 수억 년 후에는 태양은 태양계 내 천체들을 붙잡아 둘 힘을 점차 잃게 되어 태양계에는 오직 태양만 홀로 남을 것이고, 나중에는 태양도 사라질 것이다.

해설 137억 년 전 우주가 만들어지고 100억 년 전에 태양의 모태가 생겼으며, 오늘날과 같은 태양의 모습이 된 지는 약 46~50억 년 정도 지났을 것으로 추정된다. 지난 46억 년 동안 태양은 끊임없이 빛과 열을 만들었다. 그 결과 지구에 생명체를 탄생시켰고, 오늘날과 같이 살아 있는 지구를 만들었다. 하지만 태양도 영원하지는 않다. 일부 천문학자들은 태양이 수소 4개로 헬륨을 계속 만들면, 약 50억 년 뒤에는 현재의 50배까지 팽창하여 수성과 금성을 삼킬 것이라고 추측한다. 이때 지구는 태양의 열 때문에 모든 것이 타 버려 물도 공기도 없는 행성으로 변해 갈 것이다. 태양이 팽창한 후 100억 년 뒤에는 다시 수축해 작은 백색 왜성을 거쳐, 마침내 차갑고 외로운 흑색 왜성이 되어 최후의 순간을 맞을 것으로 예상한다.

해왕성 바깥쪽의 카이퍼 벨트는 10년 이하의 주기로 나타나는 단주기 혜성의 고향으로 알려져 있다.

오르트 구름은 혜성이 태어나는 곳으로, 태양계 바깥쪽으로 추정한다. 오르트 구름은 수소와 헬륨으로 이뤄져 있으며 그 안에 약 1조 개의 혜성 핵이 있는 것으로 여겨진다. 오르트 구름은 태양계와 같은 시기에 만들어진 것으로 추정되고 있으나 아직은 가설로만 존재하는 곳이다.

정답 및 해설

Ⅲ 용해와 용액

05 용해와 용액

개념 기르기 60~61쪽

01 ④ 02 ③, ④ 03 ④ 04 ④ 05 ②
06 ④ 07 ④ 08 ④ 09 ④ 10 ③
11 ⑤ 12 ②, ④ 13 ③

01 멸치 가루는 물에 잘 녹지 않고 국물 위에 뜬다.

02 멸치 가루는 물에 녹지 않으며, 물질마다 물에 용해되는 양은 서로 다르다.

03 설탕은 물에 잘 녹고, 멸치가루는 물에 녹지 않으므로 (가) 비커에는 설탕, (나) 비커에는 멸치 가루가 들어있다.

04 어떤 물질이 다른 물질에 골고루 섞이는 현상을 용해, 설탕과 같이 녹는 물질을 용질, 물과 같이 녹이는 물질을 용매, 설탕물과 같이 용질이 용매에 골고루 섞여 있는 것을 용액이라고 한다.

05 흙탕물처럼 가라앉거나 떠 있는 물질이 있으면 용액이 아니다.

06 각설탕은 물에 모두 녹았으므로 거름종이로 걸러도 남는 것이 없다. 흰색 각설탕이 물에 녹으면 투명해진다.

07 ① 밀가루는 물에 용해되지 않는다.
② 설탕을 가열했을 때 녹는 것은 상태 변화인 융해이다.
③ 공기 중 수증기가 차가워져 물방울이 된 것으로 액화이다.
⑤ 간장에서 물이 증발하면 녹아 있던 소금이 결정으로 다시 나타난다.

08 용해된 소금은 사라지는 것이 아니라 작아져 우리 눈에 보이지 않는다. 온도와 양이 일정한 물에 소금을 계속 넣고 저으면 소금이 어느 정도 용해되어 포화 상태가 되면 더 이상 녹지 못하고 바닥에 가라앉는다.

09 설탕이 용해되면 물속에 골고루 섞여 들어가 그대로 남아 있으므로, 설탕이 물에 용해되기 전과 후의 무게는 같다.

10 물의 온도에 따라 백반이 용해되는 양을 알아보는 실험을 할 때 다르게 할 조건은 물의 온도이고, 같게 할 조건은 물의 양과 백반의 양이다.

11 물의 양이 많고 온도가 높을수록 백반의 녹는 양이 많아진다.

12 물의 양이 많을수록, 물의 온도가 높을수록 코코아 가루가 녹는 양이 많아진다. 유리 막대로 저으면 녹는 양은 변하지 않고, 녹는 속도만 빨라진다.

13 용액의 온도가 낮아지면 녹일 수 있는 용질의 양이 줄어들기 때문에 녹아 있던 용질이 결정으로 생긴다.

서술형으로 다지기 62~63쪽

01 모범답안
(1) 용매 : 물, 어떤 물질을 녹이는 물질이다.
(2) 용질 : 설탕, 어떤 물질에 녹는 물질이다.
(3) 용액 : 설탕물, 용질이 용매에 골고루 섞여 있는 것이다.
해설 어떤 물질이 다른 물질에 골고루 섞이는 현상을 용해라고 하고, 이때 녹는 물질은 용질, 녹이는 물질은 용매라고 한다.

02 모범답안
- 물을 더 넣는다.
- 물을 가열하여 온도를 높인다.

해설 물의 양이 많을수록, 물의 온도가 높을수록 백반의 녹는 양이 증가한다.

03 모범답안
(1) 비커 안에서 나타나는 변화 : 백반 알갱이가 생긴다.
(2) 이유 : 온도가 낮아지면 물에 녹을 수 있는 백반의 양이 줄어들기 때문이다.
해설 물의 온도에 따라 백반의 녹는 양이 달라진다. 물의 온도가 높을수록 물에 녹는 백반의 양이 증가하고, 온도가 낮아지면 녹는 양이 감소한다. 백반이 많이 녹아 있는 따뜻한

용액의 온도를 낮추면 백반이 더 이상 녹지 못하고 결정으로 나타난다.

04 모범답안

(1) 설탕의 무게 : 12 g

(2) 증발한 물의 무게 : 28 g

(3) 이유 : 설탕이 물에 녹으면 눈에 보이지 않지만, 설탕이 사라지는 것이 아니라 용액 속에 남아 있으므로 물을 증발시키면 녹아 있던 설탕이 모두 다시 나타난다.

해설 설탕을 물에 녹인 설탕물의 무게는 설탕의 무게와 물의 무게를 합한 값과 같다. 설탕물의 무게가 40 g이고, 설탕의 무게가 12 g이므로, 물의 무게는 40 g−12 g=28 g이다.

융합사고력 키우기 64~65쪽

01 모범답안 아이스용 커피믹스

해설 일반 커피믹스에 사용하는 야자유는 25 ℃ 이상의 높은 온도에서 녹고, 아이스용 커피믹스에 사용하는 해바라기유는 0 ℃에 가까운 낮은 온도에서도 녹는다.

02 모범답안 과립화 과정을 거친 코코아 가루는 수분이 빠져나간 자리에 빈 공간이 생기고, 빈 공간 속으로 물이 들어가 더 잘 섞이기 때문에 찬물에서도 잘 녹는다.

해설 카카오 지방이 들어 있는 코코아 가루는 차가운 우유나 물에서도 잘 풀어지게 하기 위해 뜨거운 수증기로 녹였다가 다시 굳히는 '과립화' 과정을 거친다. 과립화 과정을 거친 코코아 가루는 수분이 빠져나간 자리에 빈 공간이 생기고 빈 공간으로 물이 침투해 더 잘 분산되어 섞인다. 아이스 음료는 맛도 중요하지만 찬물에서도 빨리 녹게 만드는 것이 핵심 기술이다.

03 모범답안 소금물의 온도를 낮추어 녹지 못하고 나타나는 결정을 거름종이로 거르면 순수한 소금 결정을 얻을 수 있다.

해설 소금물에서 소금을 얻으려면 증발하거나 가열하여 물의 양을 줄이면 된다. 문제에서는 물의 온도가 낮아져 물에 녹는 용질의 양이 줄어드는 것을 이용했으므로, 물을 증발시키는 방법이 아닌 물의 온도를 낮추어 소금을 얻는 방법을 적어야 한다. 소금물의 온도를 낮출 때는 물이 얼지 않을 정도의 온도로 낮춰야 하고, 온도를 낮춰 얻은 소금 결정은 물속에 있기 때문에 거름종이로 거르는 과정이 필요하다.

06 용액의 진하기

개념 기르기 70~71쪽

01 ④	02 ④	03 ③, ④	04 ①	05 ②
06 ⑤	07 ①	08 ⑤	09 ②	10 ⑤

01 황색 각설탕을 녹였으므로 용액은 갈색으로 변한다.

02 각설탕을 많이 넣은 (나) 비커의 용액이 더 진하고 진한 용액일수록 방울토마토가 높이 떠오른다. 용액에 물을 넣어 묽게 하면 방울토마토가 가라앉는다.

03 메추리알이 높이 떠오른 (나)가 더 진한 용액이다. 소금을 한 숟가락씩 더 넣으면 메추리알이 더 높이 떠오른다.

04 물을 더 넣어 진하기가 묽은 용액으로 만들면 방울토마토가 가라앉는다. 소금을 더 넣거나 용액을 가열하면 진하기가 더 진해지므로 방울토마토가 더 높이 떠오른다.

05 소금물은 무색투명하므로 색으로 진하기를 구분할 수 없다.

06 용액의 진하기가 진할수록 물체가 많이 떠오른다.

07 바닷물을 증발시켜 소금을 만드는 것은 용매의 양을 줄여 결정을 만드는 과정이다.

08 진한 용액일수록 같은 양의 용매에 녹인 용질의 양이 많고, 흔들어보면 잘 흔들리지 않는다. 또, 색깔이 진하고 가열하여 생긴 물질의 양이 더 많다.

09 일회용 스포이트는 부피에 비해 가벼우므로 물에 잘 뜬다.

10 설탕물 탑을 쌓을 때 진하기가 진할수록 가라앉으므로 진한 설탕물을 가장 먼저 넣고, 묽은 설탕물을 가장 나중에 넣어야 한다.

정답 및 해설

서술형으로 다지기 72~73쪽

01 모범답안 윗접시 저울이 황색 각설탕 10개를 녹인 용액 쪽으로 기울어진다. 용액의 진하기가 진할수록 용해된 설탕의 양이 많아 무겁기 때문이다.

해설 용액의 진하기가 진할수록 용질이 많이 녹아 있어 같은 부피에 해당하는 무게가 무겁다.

02 모범답안

(1) 설탕이 가장 적게 녹아 있는 층 : ㉠

(2) 설탕물 탑을 쌓을 수 있는 이유 : 용액의 진하기가 진할수록 아래로 가라앉기 때문에 진한 용액 순서로 시험관에 넣으면 설탕물 탑을 쌓을 수 있다.

해설 용액의 진하기가 진한 용액일수록 무거워 아래로 가라앉고 다른 물체를 잘 띄운다. 진한 용액일수록 용매에 용질이 많이 녹아 있으므로, 단위 부피당 질량이 증가하여 밀도가 크다. 밀도가 크면 아래로 가라앉고, 밀도가 작으면 위로 뜬다.

03 모범답안

(1) (가)와 (나) 중 진한 용액 : (나)

(2) (가)에 들어 있는 도구를 높이 뜨게 하는 방법 :

- 소금을 더 녹여 진한 용액으로 만든다.
- 용액을 증발시키거나 가열하여 물의 양을 줄여 진한 용액으로 만든다.

해설 용액에 물체를 띄웠을 때 높이 떠오를수록 진한 용액이고, 녹아 있는 용질의 양이 많을수록 진한 용액이 된다.

04 모범답안 ㉡, 용질의 온도를 낮추면 용액의 온도가 낮아지기 때문에 용질이 천천히 녹고, 녹는 양도 줄어든다.

해설 일정한 양의 물에 용질을 빨리 녹이려면 젓는 빠르기를 빠르게 하고, 용질의 크기를 작게 하며, 온도를 높여야 한다.

융합사고력 키우기 74~75쪽

01 모범답안 물이 흘러들어오지만 다른 곳으로 흘러나가지는 못하고, 뜨겁고 건조한 기후로 인해 많은 양의 물이 증발하고 있기 때문이다.

해설 사해의 북쪽에 있는 요르단강으로부터 물이 흘러들어오지만 나가는 곳이 없으며, 뜨겁고 건조한 기후 때문에 비는 내리지 않고 증발만 일어나므로 염분이 높다. 사해에서는 매년 100만 m^3의 물이 증발하고 염분은 계속해서 축적되고 있다.

02 모범답안 사해의 물이 일반 바닷물보다 진하기 때문에 감자는 일반 바닷물보다 사해의 물에서 더 높이 떠오른다.

해설 물의 비중을 보통 1이라고하면 일반 바닷물은 1.02~1.03, 사해는 1.24로 비중이 높다. 비중이 높을수록 용액의 진하기가 진하므로 감자가 더 높이 떠오른다.

03 모범답안 사해의 물이 우리 몸의 물보다 진하기가 매우 진하므로 사해에 들어가면 우리 몸에서 물이 빠져나가기 때문이다.

해설 사해에 들어가면 농도 차이에 의한 삼투에 의해 우리 몸의 물이 빠져나간다. 전문 수영선수들은 삼투 현상을 막기 위해 30분마다 물을 마시고, 한 시간마다 단백질이나 에너지를 공급하는 음식을 먹었다. 사해에서는 다리가 물에 잠기지 않기 때문에 다리를 사용하지 않고 수영해야 하므로 체력 소모가 많다. 쉴 때는 마스크를 벗고 팔과 얼굴에 민물을 듬뿍 뿌려 소금기를 제거했다. 사해의 물이 얼굴에 닿거나 눈에 들어가면 매우 쓰리고 아프다. 상처가 있으면 사해에 들어가서는 안 된다. 사해에서는 첨벙거리며 헤엄을 치면 안 되고 다이빙을 해서도 안 된다. 힘을 빼고 가만히 바닷물에 몸을 맡기고 누워야 한다.

탐구력 키우기 76~77쪽

01 모범답안 시험관 위쪽에서부터 빨주노초파남보 색의 무지개 탑이 만들어진다.

02 모범답안 G 용액, 설탕이 많이 녹아있을수록 용액의 무게가 무거워진다.

해설 설탕을 물에 녹이면 부피는 크게 증가하지 않지만, 무게는 녹인 설탕의 양만큼 증가한다.

03 모범답안 설탕물, 설탕은 소금보다 물에 더 많이 녹으므로 용액의 진하기 차이를 크게 할 수 있기 때문이다.

해설 용질에 따라 물에 녹는 양이 다르다. 설탕은 소금보다 물에 많이 녹으므로, 7개 용액의 진하기 차이(농도 차이, 밀

도 차이)를 크게 할 수 있어 각 층이 잘 섞이지 않는다. 그러나 소금은 물에 적게 녹으므로 7개 용액의 진하기 차이가 크지 않아 각 용액을 넣을 때 쉽게 섞인다.

04 모범답안 소금물의 진하기가 너무 진해서 모두 떴다. 물을 더 넣어 진하기를 묽게 하면 쭉정이는 뜨고, 좋은 볍씨는 가라앉는다.

해설 좋은 볍씨와 쭉정이를 구분하기 위한 소금물의 농도는 달걀을 띄웠을 때 세로로 서서 동전 크기만큼 떠오를 때가 적당하며, 이때 소금물의 비중은 약 1.13이다. 속이 빈 쭉정이는 밀도가 낮아 위로 뜨고 종자로 쓸 수 있는 무거운 볍씨는 밑으로 가라앉는다. 쭉정이를 버리고 가라앉은 볍씨만 골라낸 뒤 물에 씻은 후 말려서 종자로 사용한다. 이 방법은 보리 등 다른 곡식의 종자를 골라낼 때도 쓰이며, 종자의 종류에 따라 소금물의 농도는 조금씩 다르다. 선정된 좋은 볍씨는 볍씨에 묻은 병균을 소독하기 위해 망에 넣어 60 ℃의 뜨거운 물에 10분 동안 담가 둔 후 꺼내어 찬물에 헹구어 사용한다.

Ⅳ 다양한 생물과 우리 생활

07 균류와 원생생물

개념 기르기

84~85쪽

01 ③	02 ①	03 ③, ⑤	04 ①	05 ④
06 ④	07 ②	08 ③	09 ②, ⑤	10 ③

01 실체 현미경으로 곰팡이를 관찰할 때 먼저 낮은 배율로 전체 모습을 관찰한 후 배율을 높여 부분을 자세히 관찰한다.

02 버섯과 곰팡이는 모두 균류이다.

03 버섯과 곰팡이는 따뜻하고 축축한 환경에서 잘 자라며, 스스로 양분을 만들 수 없기 때문에 양분이 있는 곳에서 산다.

04 균류는 포자로 번식한다.

05 초록색이며 햇빛을 이용해 양분을 만들고, 뿌리, 줄기, 잎, 꽃 등의 구조로 이루어진 것은 식물의 특징이다. 식물은 꽃을 피우고 열매를 맺어 열매 안의 씨앗으로 번식하지만, 균류는 포자로 번식한다.

06 짚신벌레는 스스로 헤엄치며 움직이지만 다리는 없다.

07 광학 현미경으로 해캄을 관찰할 때 먼저 낮은 배율로 전체 모습을 관찰한 후 배율을 높여 부분을 자세히 관찰한다.

08 해캄은 초록색이고 길고 가느다란 모양이 여러 갈래가 얽혀 있으며, 움직이지 않는다. 해캄의 초록색 용수철 같은 부분은 광합성을 하는 엽록체이다.

09 해캄과 식물은 초록색 엽록체를 가지고 있으므로 햇빛을 이용하여 양분을 만든다.

10 원생생물은 주로 물이 고인 곳이나 물살이 느린 하천에서 산다.

정답 및 해설

서술형으로 다지기 86~87쪽

01 모범답안
- 균사로 이루어져 있다.
- 스스로 양분을 만들지 못하고 다른 생물이나 죽은 생물에서 양분을 얻는다.
- 포자로 번식한다.
- 따뜻하고 축축한 환경에서 잘 자란다. 등

해설 버섯이나 곰팡이와 같은 생물을 균류라고 한다.

02 모범답안
(1) 옷을 보관할 때 :
- 옷에 습기가 없도록 잘 말려서 보관한다.
- 옷을 보관하는 곳에 습기 제거제를 둔다. 등

(2) 음식물을 보관할 때 :
- 온도가 낮은 냉장고에 음식물을 보관한다.
- 음식물을 밀폐 용기에 담아 보관한다.
- 냉장고에 넣은 지 오래된 음식물은 버린다. 등

해설 곰팡이는 대부분 습도 95~100 %, 온도 10~40 ℃에서 잘 자라며 최적 온도는 25~35 ℃이다. 냉장고는 이미 생긴 곰팡이나 세균을 죽이지 못하므로 음식물을 냉장실에 오래 보관하면 곰팡이가 생길 수 있다. 따라서 음식은 먹을 정도만 하고 남기지 않는 것이 좋다. 냉동실에서는 곰팡이가 거의 자라지 못한다.

03 모범답안
- 맨눈으로 보는 것보다 더 확대해서 볼 수 있어 자세히 관찰할 수 있다.
- 표본을 만들지 않아도 된다.
- 물체를 손상시키지 않고 관찰할 수 있다.

해설 실체 현미경은 대개 20배, 40배 정도의 배율로 물체를 확대해서 관찰할 수 있으며, 재물대 위에 실제 물체를 올려놓고 조명을 비춰 물체를 관찰한다.

04 모범답안

공통점	차이점
• 움직인다. • 자라면서 크기가 커진다. • 다른 생물을 먹고 산다. • 자극에 반응한다. 등	• 짚신벌레는 눈에 보이지 않을 정도로 크기가 매우 작지만, 개는 크기가 크다. • 짚신벌레는 눈, 코, 입 등 감각 기관이 없지만, 개는 감각 기관이 있다. • 짚신벌레는 원생생물이고 개는 동물이다.

해설 짚신벌레는 동물과 비슷한 특징이 있지만, 크기가 매우 작고 감각 기관이 없다. 또한, 하나의 세포로 이루어진 생물이므로 동물로 분류하지 않고 원생생물로 분류한다.

융합사고력 키우기 88~89쪽

01 모범답안 기름기가 너무 많고 빨리 산성화되기 때문이다.

02 모범답안 최종 산물이 우리 생활에 유익한 물질이면 발효이고, 해로운 물질이면 부패이다.

해설 우유가 상하여 먹을 수 없게 되는 것을 부패라고 하고, 치즈나 요구르트로 변하는 것을 발효라고 한다. 이처럼 발효와 부패는 우리 생활에 도움을 주는지, 해로운 것인지로 구분한다. 같은 미생물이라도 처한 환경에 따라 분해하는 물질이 발효될 수도 있고, 부패할 수 있기 때문에 관여하는 미생물로 발효와 부패의 기준을 나누는 것은 옳지 않다.

03 모범답안 김치의 숙성 온도에 따라 활발하게 활동하는 유산균의 종류가 다르기 때문이다.

해설 김치 맛은 발효 초기 온도가 중요하다. 7~8 ℃ 이하의 저온에서 숙성하면 류코노스톡 유산균이 활발하게 활동하므로 김치에서 톡 쏘는 맛이 난다. 반면 높은 온도에서 숙성하면 락토바실러스 유산균이 활발하게 활동하므로 신맛이 강해진다. 이처럼 온도에 따라 활발하게 활동하는 유산균이 다르기 때문에 김치 맛이 달라진다.

08 세균, 생물과 우리 생활

개념 기르기 94~95쪽

01 ③ 02 ①, ⑤ 03 ① 04 ② 05 ⑤
06 ②, ③ 07 ⑤ 08 ①, ③ 09 ② 10 ⑤
11 ⑤ 12 ①

01 세균은 몸이 하나의 세포로 이루어진 생물로 박테리아라고도 한다. 스스로 양분을 만들지 못하기 때문에 양분이 있는 곳에서 기생하며, 우리 몸에 질병을 일으키기도 한다.

02 세균은 생물이고, 우리 생활에 이로운 영향을 미치기도 한다.

03 세균은 크기가 매우 작아 배율이 높은 광학 현미경이나 전자 현미경으로 관찰해야 볼 수 있다.

04 우리 몸에는 이로운 세균이 있어 해로운 세균으로부터 건강을 지켜주는 것은 생물이 우리 생활에 미치는 이로운 영향이다.

05 푸른곰팡이를 이용해 만든 페니실린은 세균 감염을 치료하는 항생제로 쓰인다.

06 된장은 곰팡이에 의해 발효된 음식이며, 김치의 유산균은 해로운 세균으로부터 건강을 지켜준다.

07 곰팡이, 세균 등은 죽은 생물을 분해하여 다른 생물이 이용할 수 있게 해주는 역할을 하므로 곰팡이와 세균이 사라지면 생태계가 파괴된다.

08 세균에 의한 질병에 걸리면 되도록 빠른 시간 내에 치료를 받아야 하고, 다른 사람들에게 전염될 수 있는 경우에는 접촉을 피해야 한다.

09 세균으로부터 건강을 지키기 위해서는 음식을 골고루 먹어야 한다.

10 생명 과학은 생명 현상이나 생물의 특징을 연구하거나 이를 통해 알게 된 사실을 우리 생활에 활용하는 것이고, 첨단 생명 과학은 최신의 생명 과학 기술이나 연구 결과를 활용하여 일상생활에서 일어나는 다양한 문제를 해결하는 것이다.

11 푸른곰팡이에 의해 만들어지는 페니실린은 전염병 치료에 큰 역할을 한다.

12 곰팡이로 된장을 만드는 것은 생명 과학을 활용한 예이고, 된장으로 음식을 만드는 것은 음식 조리 과정으로 첨단 생명 과학이라고 할 수 없다.

서술형으로 다지기 96~97쪽

01 모범답안

(1) 건강에 해로운 영향을 주는 생물 : 식중독균, 폐렴균
(2) 작은 생물로부터 건강을 지키기 위한 방법 :
- 예방주사를 제때 맞는다.
- 상한 음식을 먹지 않는다.
- 적당한 운동을 하여 건강을 유지한다.
- 외출 후에 손을 깨끗이 씻는다.
- 여러 사람이 쓰는 물건은 살균과 소독을 한다. 등

해설 식중독균은 식중독을 일으키고, 독감 바이러스는 고열과 폐렴을 동반한 감기를 일으켜 건강에 해로운 영향을 준다.

02 모범답안

(1) 유산균이 우리 건강에 주는 이로운 점 : 유산균은 창자 속에 살며 우리 몸에 해로운 균을 물리치고 건강을 유지하는 데 도움을 준다.
(2) 우리 몸속에 유산균을 많이 살게 하는 방법 : 김치나 요구르트 등 유산균이 많은 음식물을 섭취한다.

해설 유산균은 창자 속에서 우리 몸에 해로운 균을 물리치고 건강을 유지하는 데 도움을 주는 균을 통틀어 일컫는다. 유산균 중 비피두스균은 주로 대장에서 대장균의 증식을 억제하고, 장운동과 배변 활동을 강화한다. 락토바실러스균은 주로 소장에서 우리 몸에 해로운 균의 생성을 억제한다.

03 모범답안

- 미생물(유산균)을 이용한 발효 음식이다.
- 우리 눈에 보이지 않는 작은 생물을 이용하여 만든 유익한 음식이다. 등

해설 발효란 미생물 자신이 가지고 있는 효소를 이용하여

음식물을 분해하여 좋은 향과 사람이 먹을 수 있는 맛과 영양가를 지닌 물질을 만드는 과정이다. 김치와 치즈 외에도 된장, 젓갈, 식초, 요구르트 등이 대표적인 발효 음식이다.

04 모범답안 틀렸다. 세균은 김치와 요구르트 등을 만드는 데 도움을 주고 죽은 생물이나 배설물을 분해하여 지구의 환경을 깨끗하게 유지하는 데에도 도움을 주기 때문에 지구에서 없어서는 안 될 중요한 생물 중 하나이다.

해설 세균은 우리에게 해로운 영향을 미치기도 하지만 이로운 영향도 미치므로 해로운 생물이라고 할 수 없다. 세균은 죽은 생물의 사체나 오염 물질을 분해하고, 농작물을 재배할 때 생물농약으로 활용하고 오염된 지역의 생태 복원을 위해서도 사용한다.

융합사고력 키우기 98~99쪽

01 모범답안 항생제와 살균제를 지나치게 많이 사용하기 때문이다.
해설 의료기술의 발전으로 수많은 항생제와 살균제가 개발되었다. 이러한 물질들은 장내 세균을 무분별적으로 죽이기 때문에 점점 그 숫자가 줄어들었다.

02 모범답안 우리 몸에 독성이 거의 없는 해로운 세균이 들어오면, 우리 몸은 방어물질을 생성하고 이를 기억한다. 같은 독성을 가진 해로운 세균이 다시 들어오면 기억에 의해 방어물질을 빠르게 생성하여 면역 능력을 높일 수 있다.
해설 예방접종에 사용하는 해로운 세균은 독성을 거의 상실했기 때문에 우리 몸에 들어와도 피해를 주지 못한다. 대신 우리 몸은 이러한 세균을 인식해 방어물질을 생성하고 이를 기억한다. 그러므로 이후에 독성을 가진 세균이 우리 몸에 다시 들어오면 예방접종 때 들어왔던 세균을 기억하고 그 때 생성했던 방어물질을 더욱 빠르게 대량으로 생성할 수 있다. 이와 같은 기억반응을 통해 우리 몸은 면역 능력을 높일 수 있다.

03 예시답안 체중 증가 속도를 늦출 수 있으므로 비만치료제로 활용한다.
해설 크리스텐세넬라시아에는 체중이 적은 사람에게 유전되는 장내 세균이다. 크리스텐세넬라시아에는 어떤 장내 세균이 사느냐에 따라 우리 몸이 어떻게 달라지는 보여 주는 예이다. 쥐에게 크리스텐세넬라시아에를 주입했을 때 많이 먹어도 크리스텐세넬라시아에 세균들의 대사 작용에 의하여 살이 잘 찌지 않은 것으로 보아, 사람에게 비만치료제로 활용할 수 있다.

탐구력 키우기 100~101쪽

01 모범답안

유리병 A	풍선이 조금 부푼다. 유리병 안에 거품이 조금 생긴다.
유리병 B	풍선이 크게 부푼다. 유리병 안에 거품이 많이 생긴다. 유리병 안에서 술(알코올)냄새가 난다.
유리병 C	풍선이 크게 부푼다. 유리병 안에 거품이 많이 생긴다. 유리병 안에서 술(알코올)냄새가 난다.
유리병 D	풍선에 변화가 거의 없다. 유리병 안에 거품이 아주 조금 생긴다.

해설 효모는 산소가 있으면 산소로 호흡하며 에너지를 얻어 살아가므로 발효가 아닌 부패가 진행된다. 그러나 산소가 적거나 거의 없으면 당을 분해하여 알코올(에탄올)과 이산화 탄소를 만들면서(알코올 발효) 산소 호흡보다 적은 에너지를 얻어 살아간다. 발효 실험은 무산소 호흡 과정이므로, 효모 발효 실험 장치를 밀폐시켜야 한다. 효모가 계속 무산소 호흡을 하면 알코올이 많이 생성되어 결국 생장이 급격하게 떨어진다. 효모는 무산소 호흡보다 산소 호흡이 생존에 유리하므로, 산소가 풍부한 곳에서는 발효가 진행되지 않는다. 술은 효모의 발효 산물 중 알코올을 활용한 것이고, 빵은 발효 산물 중 이산화 탄소를 활용하여 반죽을 부풀린다.

02 모범답안

유리병 A, B 비교	효모는 따뜻한 환경에서 활발히 활동한다.
유리병 B, C, D 비교	효모는 양분(당)이 있는 환경에서 활발히 활동한다.

해설 효모는 당을 알코올(에탄올)과 이산화 탄소로 분해(알코올 분해)한다. 오렌지주스에는 설탕, 과당, 포도당 등 효모의 양분이 풍부하다.

03 모범답안 효모는 생물이므로 양분이 있고 따뜻한 온도 등 환

경이 알맞을 때만 활동한다. 그러나 베이킹파우더는 물질이므로 환경 조건과 관계없이 물과 만나면 항상 반응한다.

해설 건조 효모는 무생물처럼 보이지만 살아있는 생물이다. 효모가 부패하거나 죽지 않도록 30 ℃의 저온에서 8시간 건조시키거나 회전하는 건조통 속에서 18시간 통풍 건조하여 수분을 8 % 또는 그 이하로 낮춘다. 건조 효모는 상온에서 수개월 간 성능을 유지할 수 있기 때문에, 거리가 멀리 떨어진 곳의 제빵공장이나 가정용, 수출용 등에 사용되고 있다. 약이나 식용 또는 사료로 사용되는 효모는 효모가 다시 활동할 수 없도록 죽인 불활성 효모이며, 효모 균체에 포함되어 있는 비타민, 아미노산, 미네랄 등을 활용한다. 불활성 건조 효모는 환경 조건이 갖추어져도 활동하지 않으므로 발효 식품을 만드는 데 사용할 수 없다. 베이킹파우더는 빵을 만들 때 빵을 부풀게 하는 역할을 하는 가루로 물과 만나면 물에 녹아 이산화 탄소 기체가 발생하기 때문에 풍선이 부푼다.

04 모범답안 추운 겨울이어도 땅속은 온도가 영하로 내려가지 않고 일정하게 유지되며, 산소가 차단된다. 따라서 유산균을 포함한 김치에 존재하는 미생물들이 느린 속도로 꾸준히 활동하여 발효가 천천히 오랫동안 일어나므로 김치의 제맛을 느낄 수 있다.

해설 김치의 맛과 영양은 숙성 온도와 보관 온도에 따라서 달라진다. 대체로 2~7 ℃에서 2~3주간 숙성시킨 김치가 가장 맛있고 영양 가치와 비타민 함량이 높다. 겨울철 70 cm 땅속의 온도는 0~1 ℃로 유지되므로 김치의 발효를 적절히 억제해 쉽게 시어짐을 방지한다. 또한 독(옹기)은 가마에서 구워지는 동안 표면 전체에 미세한 숨구멍이 만들어져 김치가 적절히 발효될 수 있는 최상의 조건을 만들어 준다.

안쌤이 추천하는
영재교육원 대비 5,6학년 로드맵

STEP 1

개념+창의력

안쌤의 최상위 줄기과학 초등 시리즈 학기별 8강, 총 32강

STEP 2

문제해결력

안쌤의 창의적 문제해결력 시리즈 수학 8강, 과학 8강

STEP 3

실전테스트

안쌤의 창의적 문제해결력 실전 시리즈 수학 50제, 과학 50제, 모의고사 4회

안쌤의

최상위 줄기과학

펴낸곳 타임교육C&P **펴낸이** 이길호
지은이 안쌤 영재교육연구소(안재범, 최은화, 유나영, 이상호, 박민수, 추진희, 허재이, 오아린, 이나연, 김혜진, 김샛별, 이유경)
주소 서울특별시 강남구 봉은사로 442 **연락처** 1588-6066
팩토카페 http://cafe.naver.com/factos
안쌤카페 http://cafe.naver.com/xmrahrrhrhghkr(안쌤 영재교육연구소)

자율안전확인신고필증번호: B361H200-4001
1.**주소**: 06153 서울특별시 강남구 봉은사로 442
2.**문의전화**: 1588-6066
3.**제조년월**: 2023년 9월
4.**제조국**: 대한민국
5.**사용연령**: 8세 이상
※ KC마크는 이 제품이 공통안전기준에 적합하였음을 의미합니다.

주의

종이, 모서리에 다칠 수 있으니 주의하세요!